小説
弱虫ペダル
よわむし
11
原作
渡辺航
ノベライズ
輔老心
岩崎書店

弱虫ペダル⑪ 目次

登場人物

今泉俊輔

自転車競技に命をかける、毎日ストイックに走り続ける高校一年生。中学時代は県内でも有名なレーサーだった。坂道の走りに関心を持っている。

小野田坂道

ママチャリで往復九十キロの秋葉原への道のりを毎週欠かさず通う高校一年生。自転車に自分の可能性があるなら、と千葉県一強い自転車競技部に入部する。

鳴子章吉

自転車と友だちを大事にする関西出身のレーサー。浪速のスピードマンの異名を持つ高校一年生。坂道のよきアドバイザーでもある。

総北高校自転車競技部 三年生

主将
金城真護

田所 迅

巻島裕介

箱根学園自転車部

新開隼人

主将
福富寿一

真波山岳

泉田塔一郎

東堂尽八

荒北靖友

広島呉南工業

待宮栄吉

前回までのあらすじ

全国の高校自転車部が栄かんをめざすインターハイのレース。いよいよ最終日の三日目がスタートした。ここまでは、一位は箱根学園（神奈川）、二位は初優勝をめざす総北高校（千葉）、そして三位は京都伏見（京都）だ。箱根学園の福富＝新開と、総北の金城＝今泉のそれぞれのコンビが、先頭でつばぜりあいをくりひろげている。今泉は、うしろを走る残りの四人の総北メンバーの合流を今か今かと待っていた。そんな中、両チームの残りのメンバーが先頭をめがけて、〝協調〟して〝連結〟。加速追走中だ。その合体編成の中で初心者レーサー小野田坂道がひっしに走っていた。そして、さらに後方には「ペテン師」とあだ名される広島呉南の待宮がまとめる大集団ができていた。

チームのかきねをこえて協力して走ることでトップに追いつこうとしている。前を行く選手を次々と吸収しながら、地をはう大蛇のようにスーパーハイペースで走っていた。それが坂道たちが見えるところまで接近してきた――。

はじまる前に

この巻は、インターハイ三日目のレースが始まって、しばらくした場面から始まります。本作での自転車の高校日本一を決めるインターハイの流れは、

・三日間かけて行われる。
・毎日、朝にスタートして、夕方前にゴールする。
・一日目は、江ノ島から百二十台がいっせいにスタート。
・次の日からは、前日のタイム差の順に、秒数をあけてスタート。
・とちゅうでこけて、ケガをして走れなくなったらリタイアになる。
・三日目の最後のゴールでトップだった学校が総合優勝。
・ゴールをねらうのは、各チームの最強選手「エース」。

これらを頭のかたすみにおいておけば、インターハイがより楽しめるよ。

本書は、秋田書店刊の『弱虫ペダル』をもとに小説化したものです。文章化するにあたり、台詞など一部改めています。

第一章
暴走大蛇（ぼうそうだいじゃ）
呉南工業

ドリーム列車

箱根学園と総北高校の選手たちが敵同士なのにいっしょに走っている。その数、全部で八人。通称〝ドリーム列車〟だ。一刻も早く先頭に追いつくため、敵ながら協力するのだ。総北の坂道と箱根学園の真波は、前になったりうしろになったりしながらペダルをふんでいた。

　坂道が、前を走る真波に話しかけた。

「なんかやっぱりヘンだね、真波くん……さっきからピリピリ……してるけど、どうしたの？」

「……坂道くん。心をすませて……感じる？　わかるだろ、キミなら」

二人はチームのうしろのほうで、こっそり話をした。

さっきから、真波はときどき眉間にしわをよせている。自転車をこいでいて、ちっとも楽しそうじゃない。そのことに坂道は気がついていたのだ。

「え？　真波くん⁉　なに？　えっ、えーっと……あっ、もうすぐボクたちは先頭に合流するって……コト……かな⁉　ボ、ボクにはちょっとわからなかった」

坂道がそう言ったとき、うしろから荒北が真波に注意した。

「コラァ、真波、敵とひそひそ話をしてんじゃねーーよ」

真波は首をすくめ、荒北にバレないよう、坂道にだけ聞こえる小さな声で言った。

「前じゃないよ、う・し・ろ」

うしろ？

坂道はうしろをふり向いた。
だれもいない。セミの鳴き声が聞こえるだけだ。

なんだ。
なにか。
え……うわ。

そのとき、坂道もザワザワと虫の知らせのような小さななにかを感じた。
「ま、真波（まなみ）くん……」
「ね？　わかるだろ？　キミがピリピリしているって感じたのは、ボクにじゃないかもね。あれそうだなあ……」
坂道がざわっとしたのは、真波のきげんが悪いからじゃない。

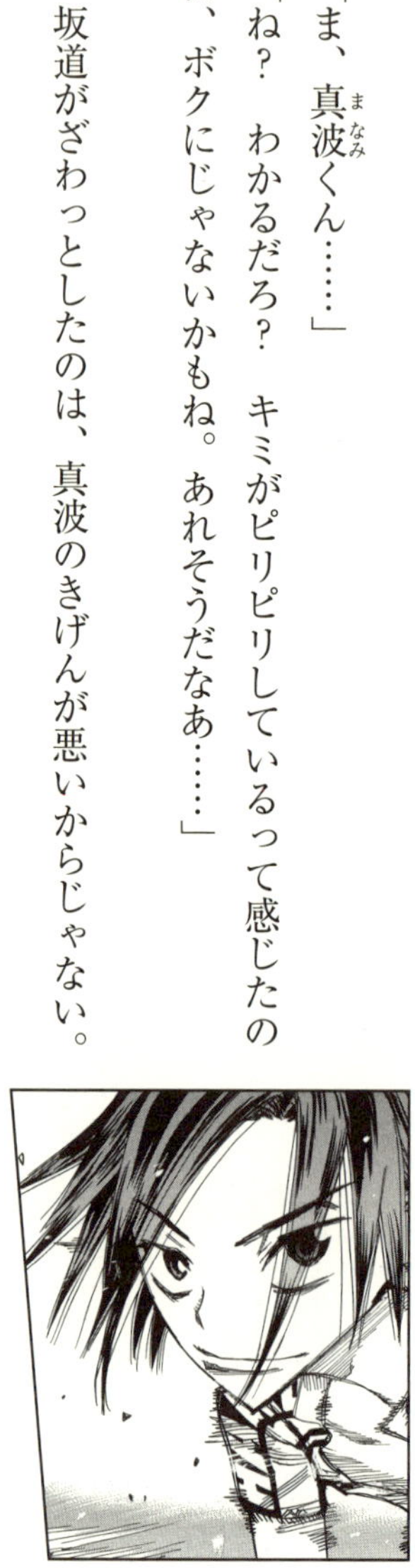

なにか、よからぬ……なにかが起きているんだ。

坂道たちのドリーム列車は、ゆるいカーブを左にまがっていく。

国道一三九号線の森をぬける観戦ポイントだ。

ファンがたくさん集まっていた。

「お。来たぞ！」

「総北ーーっ!!」

「いけヨ、ハコガク!!」

「あれ？　協調してるぞー!!　昨日一位の王者箱根学園と、二位の総北高校が!!」

二つのチームが合体していることに気がついた観客が、声をあげた。

田所（黄）—東堂（青）—巻島（黄）—泉田（青）—鳴子（黄）—荒北（青）—坂道（黄）—真波（青）

この順番でブルーとイエローのジャージが入りまじった超高速走行の八両編成がファンの目の前をすぎていく。

シャャァアアアアアア――――

「オーラ、すげぇっ」

「最強じゃね？　先頭に追いつけよォォ‼」

観客は最高のオールスター戦を見ているようで、みんなこうふんしている。

「うおおお、あついな。車で先回りしようかな。先の勝負が気になる！」

そうでなくてももりあがるインターハイ。だが、今年は例年以上のあついレースになっている。

インターハイのレースはいよいよ最終日、三日目だ。

レースでは敵同士なのに、勝利のためにいっしょに走ることがある——それが協調だ。いっしょに走ると、先頭をひんぱんに交代できるから、長い時間の高速走行がかのうになる。だから、一秒でも早く先頭に追いつくには有効な方法だ。

「今年の優勝はハコガクか総北だろ！　いや待てよ、京都伏見もいるぜ、三つ巴だよ‼」

ファンが優勝の予想をしている。

そこへ、

「お？　見ろよ。後続が来たぞ」

「最後まであきらめるなよーー、がんばれーー」

どうせ優勝争いにはかんけいない選手たちだろう、とファンたちはきらくに声をかけた。

ところが近づいてくる自転車を見ていたファンが声をあげた。

「なんだ、ありゃあ？」

「ああああああああああー‼」

ジャァアアアアアアアアアアアア

なんと、四十台ほどの自転車がひとかたまりになって、もうれつなハイペースで飛ばしてくるではないか。一台一台の自転車が、まるで蛇のウロコのように思えた。

「あきらめてないっ‼　前に追いつく気、まんまんだ!!!」

気配

真波が、坂道もキャッチしたこのザワッとした気持ちを、荒北につたえた。

「荒北さん、すぐ来ますよ。なにかたくさんの……ブワーーーって、ホラ」

「あ!? なにがだ? わっかんねーよ。つーか、なにてめえ、さっきからコソコソやってんだ。こっちのオーダーとか、敵にもらしてんじゃねーだろうな。ン?」

そう言いながら、クンクンと荒北はなにかのニオイを感じた。

クン……クン、おかしいな。

荒北も野生のカンがするどい男だ。なにかを感じているらしい。

ビクン

そのとき、前を走っている箱根学園のスプリンター泉田の左大胸筋、通称〝フランク〟がふるえた。泉田もなにかを感じている。

同時にすぐそばにいる田所が「おい、巻島ぁ」と声を出した。

「なにショ」

「こいつあ、やべえな」

「クハ……こいつは……正直」

選手たちはみんな、〝なにか〟を感じていた。そして、なにか起きている、と確信した。

ジャァアアアアアアアアアアアアアアアアアアア

大きな音がした。なにかが近づいてくる音だ。

「そうぞうしてなかった‼」

そうさけんだ巻島の声に、

八人全員がふり返った。

なんてことだ！　大蛇!!!

それは、道のはしからはしまでびっしりと自転車がならび、まるで大蛇が地をはうような迫力だった。いや、大蛇が口を開けて、すぐうしろにせまっているようだ！

「ああ、すごい。真波くんがなにかが来そうだと言ったのは、このことだったのか！　すごい数だ」

坂道は恐怖で顔をゆがめた。

ジャァアアアアというはらをすかせた生き物のような音がどんどん大きくなってきた。

「つかまったら、たいへんだ!!」

坂道たちもかなり速いのに、どんどん近づいている。……ということは、近づいてくる大集団のペースは、坂道たちよりもっと速いということになる。

大きくふくれあがった蛇が、もう、まうしろにいる感じだ。

「チイッ」と巻島、
「くそ」と田所、
「っぜぇ!!」と荒北。
三人が同時に身がまえた。

「うしろから集団が来ます!!」と泉田がさけんだ。
「わかってる!! 巻ちゃん!!」と東堂は思わず、巻島の名前をよんだ。
「うそやろ!!」と鳴子もわが目をうたがった。
全員が危機信号をキャッチしたとき、すでに大集団は近くに来ていた。

ジャァアアアアアアアアアアアアアアアアアアアア

どんどんとせまってくる。

「エエ！」

集団の中から独特の声が聞こえた。

「ん、広島県南の待宮!?」

荒北が目をこらした。

「あいつか——ボケがァ!!　三日目のバラバラの集団を一つにまとめて、ここまで追いついたってぇのか!!」

荒北は「ちいっっ」と歯ぎしりをしてくやしがった。

「ハコガクと総北に、喰らいつけぇぇ!!」

待宮は集団のどまん中で、みんなに号令をかけた。

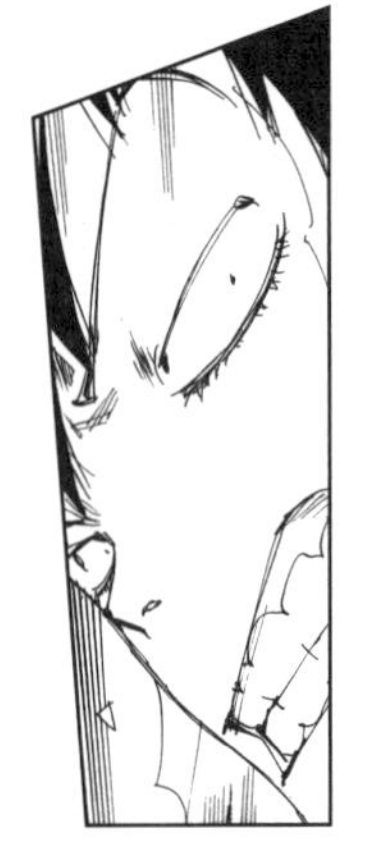

「荒北さん、このままではのみこまれます。どうしますか？」

泉田が荒北からのオーダーをさいそくした。

くそ‼　福ちゃんなら……オーダーは——

荒北はとっさのはんだんをせまられた。

主将の福富が前を走り、はなれているのだから、今、箱根学園の指示は荒北が出さなければならない。

どうする？

「ちっ、しょうがねえ。泉田ァ、東堂、つれてけ！」

ドン！

その声にはじかれるように、箱根学園の泉田と東堂の二台がスパートした。

合体列車はもうおしまいだ。

「荒北ァ」と東堂がふり返りながらさけんだ。荒北は

「この集団をコントロールして、ペースをおくらせる。おめーらは、ぜがひでも福ちゃんに追いつけ！」

荒北と東堂はアイコンタクトで、この緊急作戦をたしかめあった。

ダンシングでとおざかっていく泉田と東堂の背中を見ながら、荒北は頭をめぐらせた。

この戦況──よめなかった。
オレのミスだ。
ったく、つかれるぜ。

「うあ。ああぁ。ああぁーー」
「今度はどうした？」
大きなひめいをあげたのは最後尾を走っていた坂道だった。

来る!!
来る!!
すいこまれる!!
速い
速い!!
回してるのに!!

回してるのに‼
ハァッ　ハァッ　ハァッ　ハァッ　ハァッ
もうダメだ。

坂道がパニックになっている。


「小野田くん、列からはみ出たらアカン！」

鳴子（なるこ）がすかさず、さけんだ。

そして、「つかまれ‼」と、坂道に向かって手をのばした。

坂道は、「鳴子くん‼」と、その手をつかもうとした。

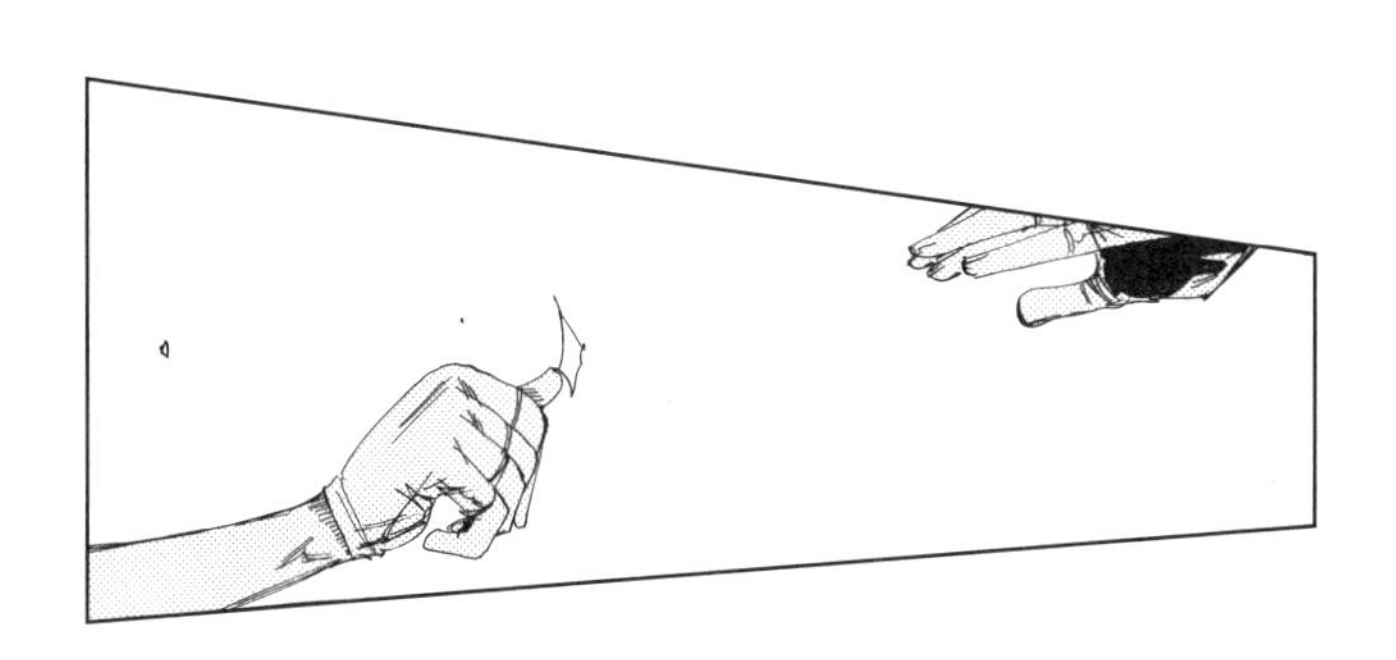

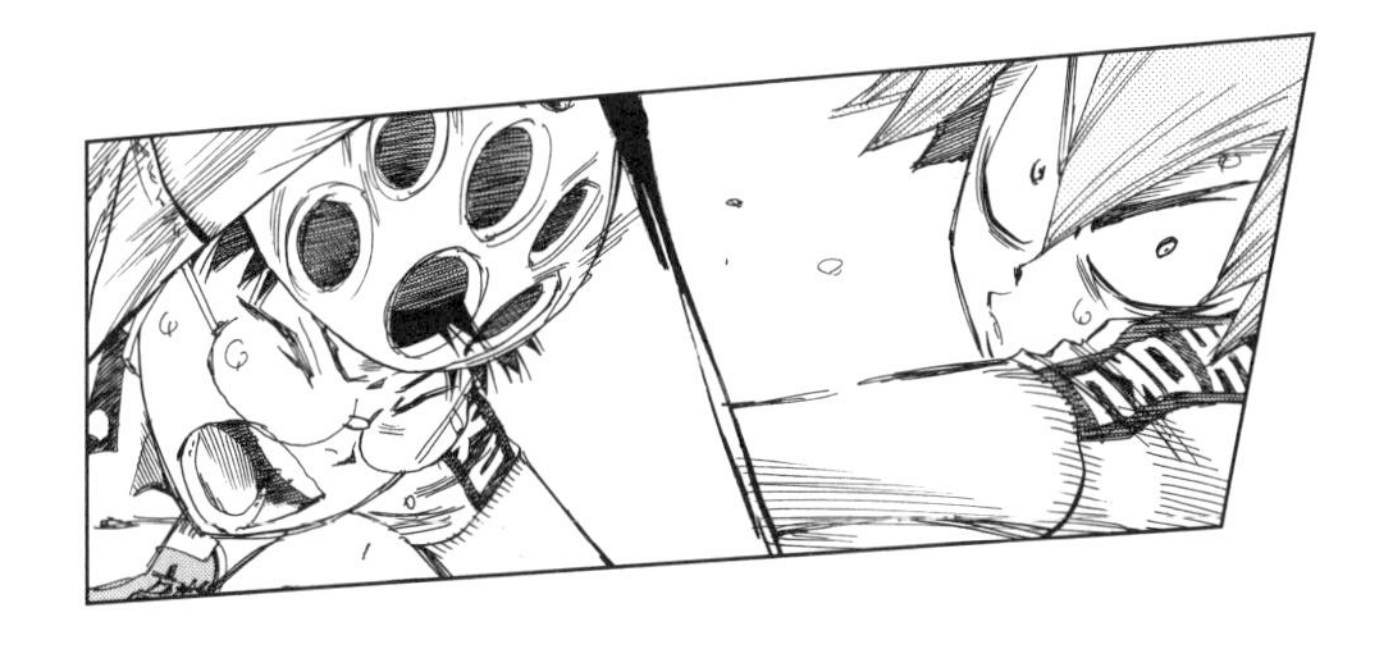

174
174
173

手の動きは宙を切った。からぶりに終わった。

指先がチッとあたったが、つかめなかった。

坂道は目をつぶってうつむいた。そして、この世の終わりかと思う声で、あーーっとさけんだ。

とたんに、

「明日は全員がゴールできるわけじゃない」

という金城の声が坂道の頭の中でひびいた。

続いて、

「意外とみんなの背中をおしてんだぜ」

という巻島の声もまぼろしのようにひびいてきた。

終わる……のか……。

最後の力をふりしぼってムンと顔を上げると、巻島と田所がかなしそうな顔で坂道を見つめている。鳴子はあきらめない。顔をゆがめながら、ひっしで坂道に手をのばしている。

しかし、それはだんだんと小さくなっていく。

「小野田くーーーーーーーーーーーーーん!!」

坂道が集団にのみこまれた!

それを見とどけた巻島がすぐさま指示を出した。

「上がれ、鳴子」

福富のいない箱根学園の緊急指示を荒北が出したように、金城のいない総北の緊急指示は巻島が出す。

「けど、今、小野田くんが集団にのまれて……」と鳴子がぐずぐずしていると、

「引けっつってんショォ!!」と巻島がはらの底からどなった。

「オレたちゃ、金城に追いつくんだよ!!」

「オッサン！」

鳴子(なるこ)は田所におねがいした。

「オッサンは見すてないですよね。昨日(きのう)——全力で引いてくれた小野田くんを‼」

「ふり向くな。ふり向いたら、総北(そうほく)のレースが終わる‼」

田所は言った。

え‼

「小野田はおいていく‼」と田所は言った。

「オレたちゃあ、勝つために走ってんだ」と巻島(まきしま)が言った。

「くそおおおおおお」

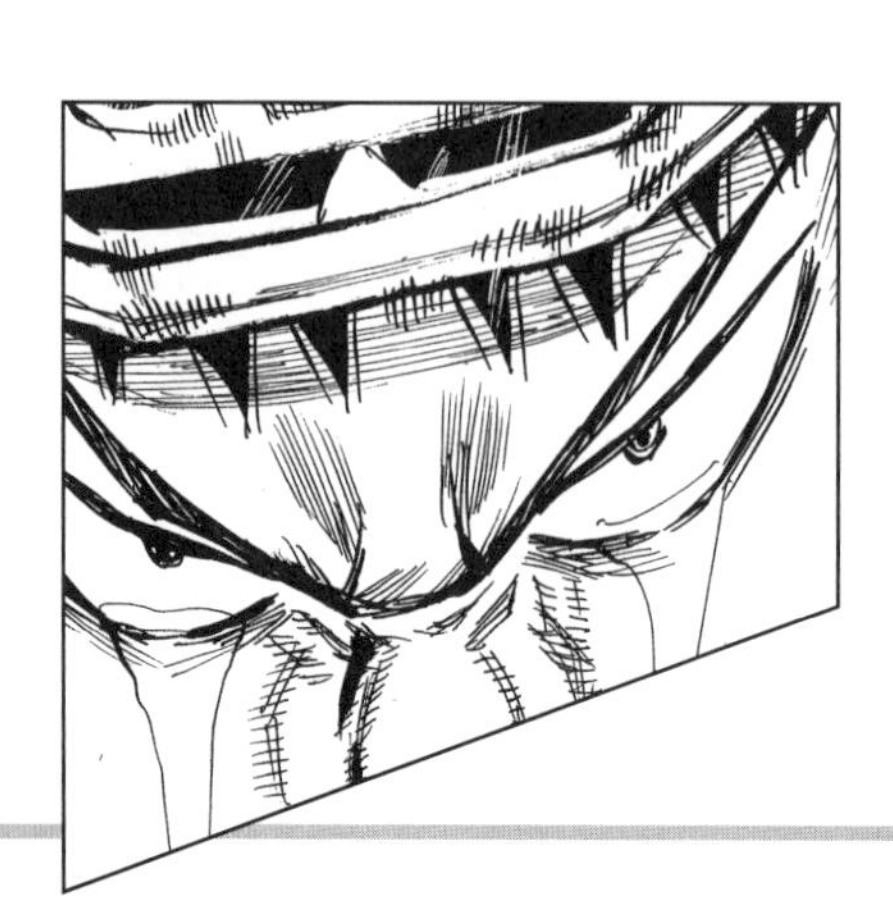

蛇の胃の中で

ハアッ　ハアッ　ハアッ　ハアッ　ハアッ　ハアッ　ハアッ

ハアッ　ハアッ　ハアッ　ハアッ　ハアッ　ハアッ　ハアッ

ハアッ　ハアッ　ハアッ　ハアッ　ハアッ　ハアッ　ハアッ

はなれた……。

坂道は一瞬、自分がどこを走っているのかわからなくなった。
まるで、どこかにおぼれたような感じだった。

手はハンドルをにぎっている。足はペダルをふんでいる。でも、見えるけしきは少し前とすっかり変わってしまった。前にも横にも、色とりどりのジャージを着た選手たちがいる。坂道は集団にのまれてしまったのだ。

ご……合流して、六人そろうどころか……。

バカだ……みんなと走りたかったのに‼

ボクは力になりたかったのに‼

坂道はなきそうになった。ニオイも、顔にあたる風も急に変わった。さっきまで、あんなに大きな音で聞こえていた「ジャアアアアアア」という音も、集団の中に入ってしまえば聞こえない。

ボン

とつぜん、背中をたたかれた。ふり返ると、そこにはピンクのジャージ、熊本台一の田浦がいた。

あ……顔見知りでしたっけ……？

「とり残されたとか‼　しょげた顔ばして‼　総北のクライマーくん」

「く……熊本の人……」

「ワッハッハ。けど安心してよかばい‼　この集団の行き先は、先頭やけんね‼」

おちついたひくい声で、田浦は話し始めた。

「えっ、先……頭……追い……つくん……ですか⁉」

「追いつく、追いつく‼　心ば一つにして、みんなで協力すればな‼　今までもそがんして追いついてきたったい。リーダーがこの集団を一つにまとめてな‼」

田浦はレースの案内人のように、今のようすをせつめいしてくれた。

「お、ウワサをすればたい。紹介するばい。こん男が集団のリーダーたい。一見チャラかばってん、骨のある信用できる男たい‼」

そのとき、さっと一台の自転車が横にならんできた。そして、
坂道をチラリと見ると言った。

「本当にモッてないのう‼」

あ、広島の……と坂道は思った。

坂道の横を緑のジャージを着た広島呉南の待宮たち六人がかたまって通りすぎていった。

それを見て、田浦がわらった。

「なんば急にまとまったとか、広島は。お出かけでもするとかて」

「ああ、おまえらをすてて、先頭までのう」

あざむくように待宮は言った。

え？

田浦の表情がかたまった。待宮は、田浦をふり返りながら言った。

「ごくろうじゃったのう。あとは各自リタイアでもしてくれ」

緑の六台はペースを上げて、どんどん先に行き始めた。

「待て。先頭まで行くとだろ。この集団は。話が――」

「バーーカ。敵までつれていくバカがどこにおる」

「ワッハッハッ、聞きちごうたばい!!」

田浦がごうかいにわらった。

そして、坂道の背中をバンバンたたきながら、

「待宮くんが一瞬、『バカ』って言うたごつ、聞こえたばい。空耳たい。

安心せんね。総北のクライマーくん。

この集団は一つのチームたい!!　心を一つにして先頭まで行くとたい。

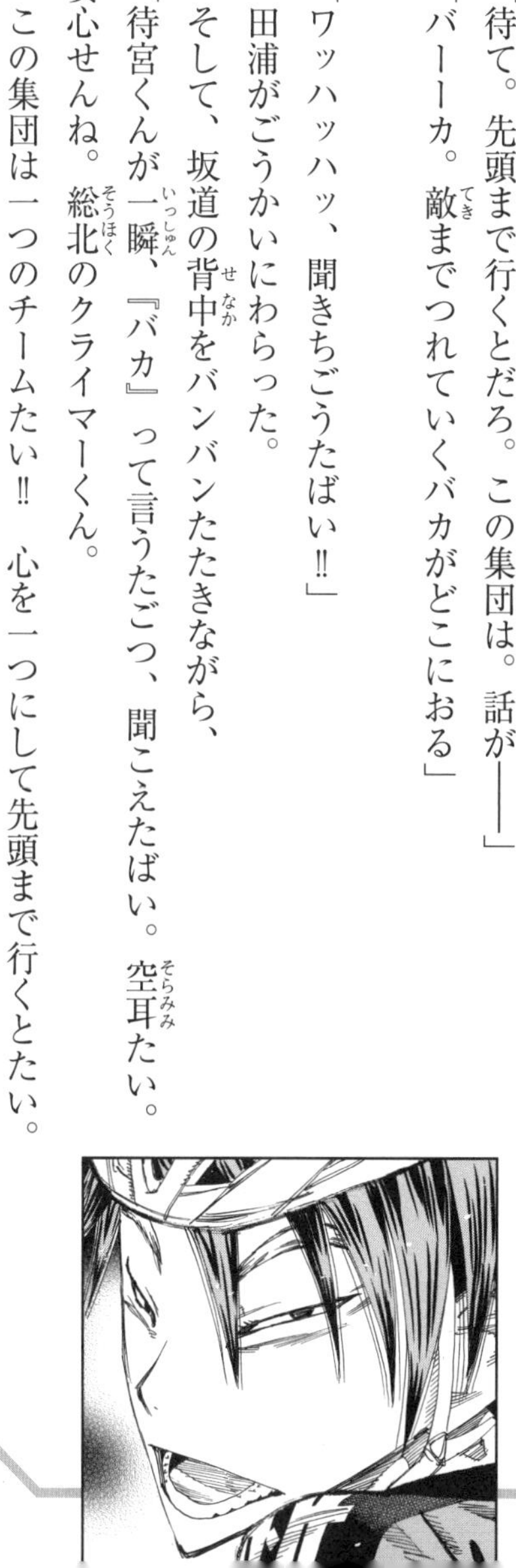

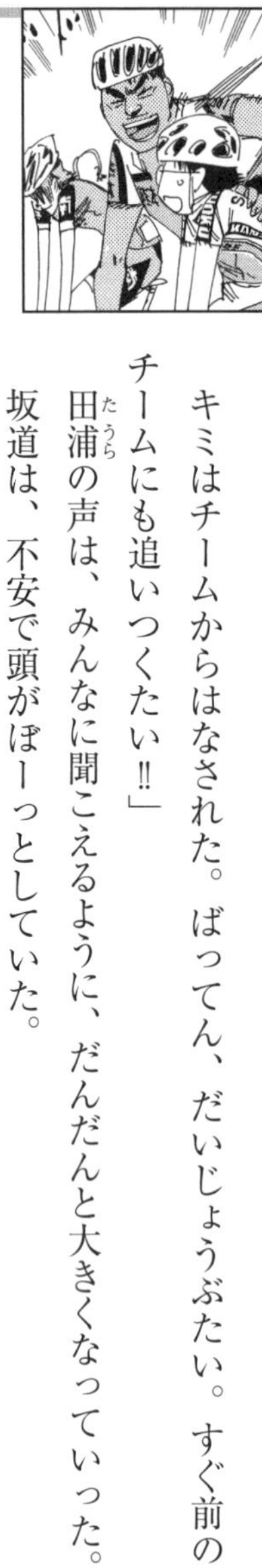

キミはチームからはなされた。ばってん、だいじょうぶたい。すぐ前のチームにも追いつくたい!!」

田浦の声は、みんなに聞こえるように、だんだんと大きくなっていった。

坂道は、不安で頭がぼーっとしていた。

「そうやろ、待宮くん!!」

田浦はたしかめるように大声で言った。

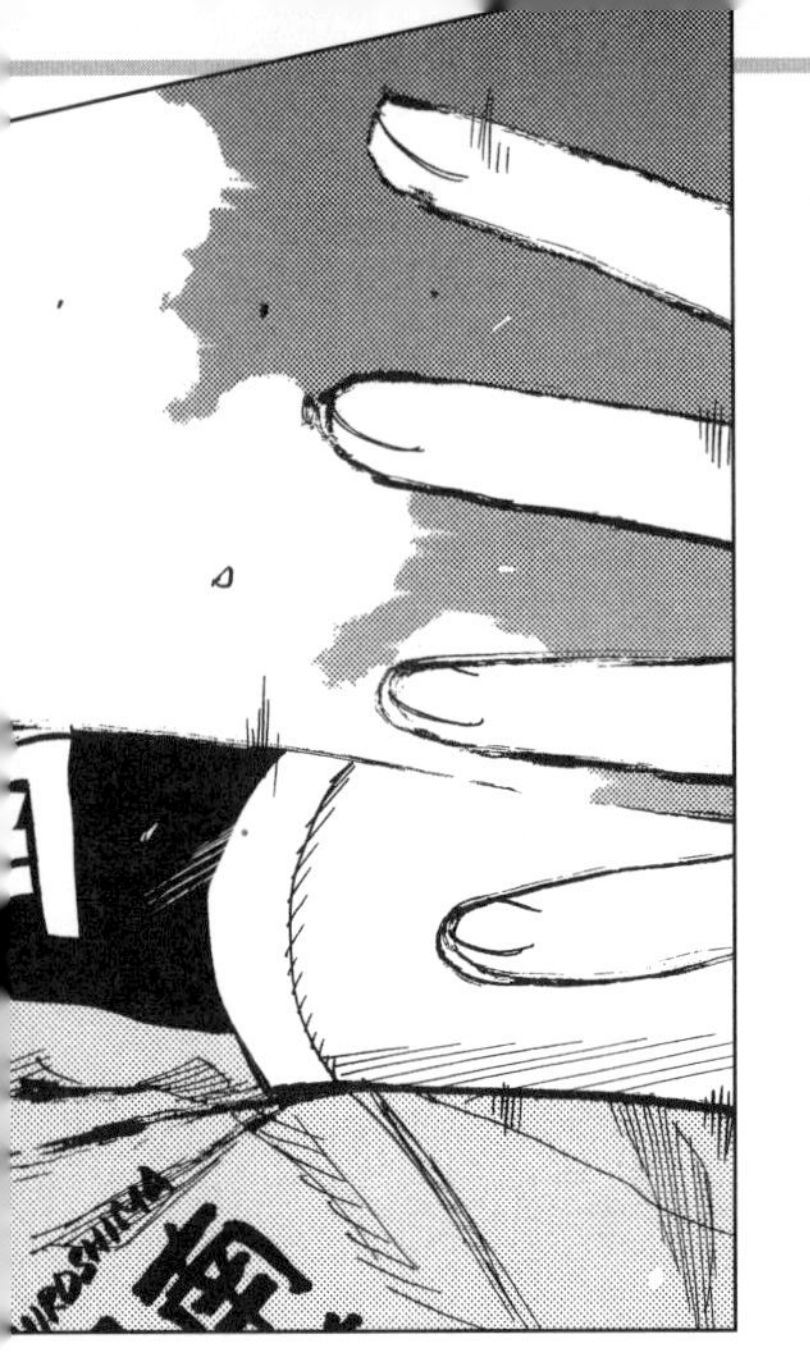

すると、その声より、大きな声で、

「バーーーカ」

待宮はふり返りざまに言った。

「エッエ!!　おまえ顔だけじゃなくて、
耳も頭も悪いのう!!

顔の悪いおまえのために、もう一回、言うてやるわ。エエ‼　わざわざ先頭まで、敵をたくさんつれていくわけないじゃろ。もう用ずみじゃ。のみきったボトルはすてるじゃろ」
と言った。

坂道は……この人たちは、ザワつく感じだ、と思った。

「先頭に追いつくのは、オレたち、広島の六人だけじゃ‼」

そう言うと、緑ジャージの六人が坂道や田浦のいる大蛇集団から飛び出した。まるで大蛇が〝脱皮〟したかのようだった。つやつやした緑色のかたまりがスピードを上げていく。

ああ、すてられた！

坂道は自分が大蛇のウロコの一枚になった気がした。

待宮の本心

「よし、ここまでの作戦はうまくいっとるけーのー。あいつらの力を利用して、先頭までだいぶ近づけたの」

用なしとなった〝大蛇のぶあつい皮〟をすてた緑の六人は、ようやく善良ぶっていた仮面をはずした。そして、広島の選手同士で本音＝悪だくみの話を始めた。

ロン毛の選手が言った。

「ほんにエゲつないのう。待宮の切り方は。女を切るときと同じじゃ!!」

「そりゃホメ言葉か、井尾谷ィ、エエ!!　切るときはバッサリ切ったほうがエエんじゃって。なさけかけたら、かえって、キズが悪うなるんじゃ」

待宮がニヤリと答えた。

それを聞いた金髪ツンツン頭の選手が、「出たー、待宮栄吉サンの独自理論！　それ、女の話スか？　それともレースの話スか？」とわらった。

「女だよ、今のは、なぁ、待宮ァ‼」と井尾谷。

「おいおい、レースじゃて。まぁ、モッとる男はモテるけどな。あの総北のカワイイ一年、なんつったか。あれもワシのこと、ホレた目で見とったな‼」

待宮は作戦がうまく進んでいるせいか、表情は自信たっぷりだ。

メガネの選手が「栄吉先輩はエグい。けど、ロードレースのやり方は正しい‼」と言った。

金髪ツンツン選手が「やっと……走れるな……三日目が始まって、オレたちは一度も全開で走っていない‼　代わろう、塩野」と言うと一番前に出た。

広島呉南はここまで少しも〝全開で〟走っていない。ずっとほかのチームに引かせて、ラクをして、余力十分で、ここまでポジションをあげたのだ。

緑ジャージの金髪ツンツン選手はいきなりダンシングだ。
広島は一気にペースを上げて、飛ばし始めた。

大蛇がこわれた

うしろに取り残された集団の選手たちはあ然としている。

「なんだ！　広島が急に飛び出したぞ」

「どういうことだ？」

もともと待宮のよびかけにしたがって、ついてきた選手たちだ。広島呉南がまるっと六人いなくなると、ぬけがらのようになってしまい、どうしていいかわからないようだ。

「広島？」

「アタックか⁉」

「いや、オレは先頭に追いつくまでは〝協調〟して走るって聞いたぞ」

「オレも」

「じゃ、なんだアレ」

「前ににげている総北がいるグループを追いかけて、集団につれもどすんだろ」

「おい、待宮と最後に話したのはだれだ？」

「なんで広島が飛び出してんだ」

なんでこうなってしまったのか。だれにも、たしかなことはわからない。もはや、みんなの気持ちはてんでバラバラだ。

坂道はいやなあせがにじんだのを感じた。今、いろんなチームのいろんな色のジャージにかこまれている。それが、にごった色に思えてきた。

そばを走る田浦が、のうてんきに大声を出した。

「ワッハッハ、なんか策略があるとたい。あいつは一見、チャラかばってん」

すると、もっと大きな声で同じ熊本台一（くまもとだいいち）の井瀬（いせ）がさえぎった。

「田浦さん‼　だまされたとですよ、オイたちは、田浦さん‼」

そのとたんに集団はシーンとしずまり返った。

シャ――――

シャ――――

四十台ばかりの集団の自転車の車輪（しゃりん）が回る音が、やけに大きくひびいた。

「だけんて、どがんせろっていうとか、井瀬」

そう言う田浦の背中（せなか）は、かなしそうにふるえていた。

「オイたちは、あいつの言うとおり、総北と箱根学園（はこねがくえん）ばつかまえるまで、全開で走ってきた。あの緑の六人を追いかけられるスプリンターはもう、残っとらんばい……」

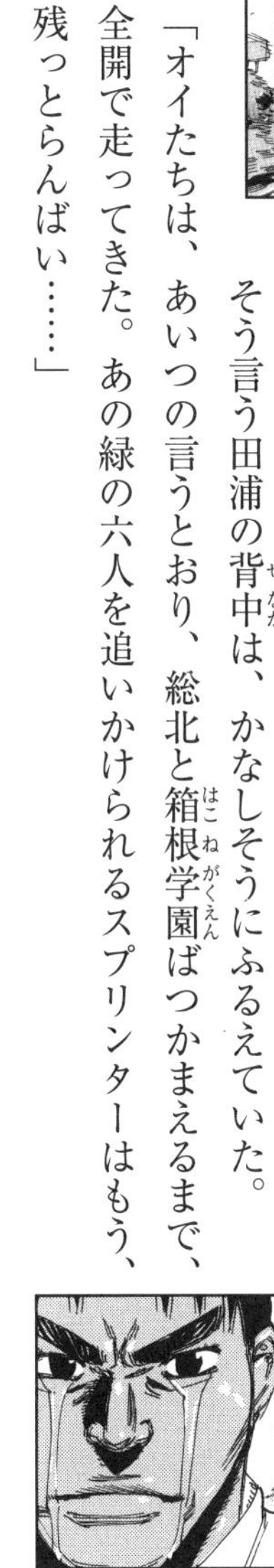

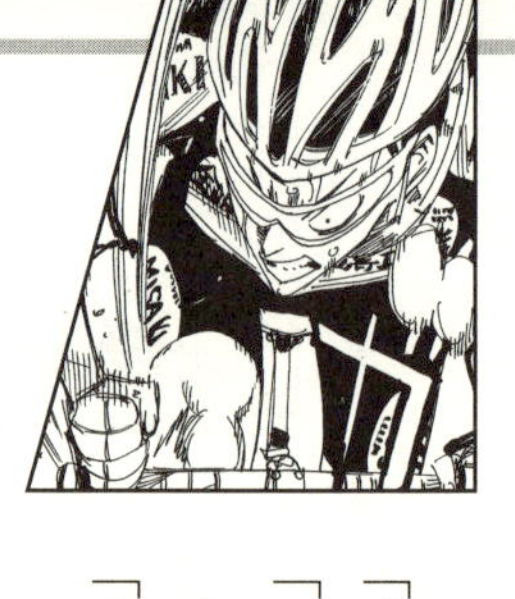

田浦の目から大つぶのくやしなみだがツーと流れた。

「くそおおおお、やられた！」と金沢三崎工業の柴田がさけんだ。

「ペースを上げすぎだとは思っていたんだ」

奈良山理の大粒がはき出すように言った。

「そういやあいつら……一度も引いてなかったな……‼」

「オーイ、速度、落ちてるぞ。前、なにやってるんだよ‼」

集団のうしろから大きな声が飛んできた。

うしろのほうで走っている選手たちは、広島がうらぎって、先に行ってしまったことを知らないのだ。

「前、動けよ‼」

「先頭まで行くんじゃないのかよ‼」

「じゃあ、おまえが引けよ‼」

「広島はなんでもどってこないんだよ」

「マジかよ‼」

死に体の蛇はのたうち回った。もうそれをコントロールする本体はない。体だけがくねくねと残ってあやしく動き回る。

坂道は、

あの人はふんいきを悪くする人だと思った。

ハァッ　ハァッ　ハァッ　ハァッ　ハァッ　ハァッ　ハァッ　ハァッ　ハァッ

坂道はがまんしきれないいかりを感じていた。その顔はまゆを引き上げ、めずらしくぎゅっと気合が入っていた。

広島のターゲット

大集団をあっさりと見すてて、あっという間に前に出た広島呉南。

「ク……今ごろ、大混乱じゃろうな。もともとがバラバラな集団は、失速するのも早い!!」

と待宮が言った。

「おまえがそうしむけたんじゃろ」

となりでロン毛があきれた。

「エエ……信じるからじゃ、ワシのことを……。〝希望〟を他人にあずけたりするからじゃや……ありゃ自業自得じゃよ!! そんな人形どもはリタイアか、最下位争いでもしてればエエ!! さて……ワシらはとりあえず……にげたえものでもつかまえるか!!」

そう言って、したなめずりをする待宮の目は、次のえものを見ていた。前を行く泉田―

東堂の箱根学園の二台と、田所―巻島―鳴子の総北の三台だ。

「広島、来てまっせ!!　あの横分けのヤロウもおりますよ!!」

鳴子がうしろをふり返ってさけぶ。その声はけいかいアラートのようにひびいた。自分たちがねらわれているのだ。

集団を作ってここまで来て、オレたちをつかまえるタイミングで切りはなし、つかれていないフレッシュな足で先頭まで一気に追いつく気だ!!

田所も東堂もけいかいを強める。

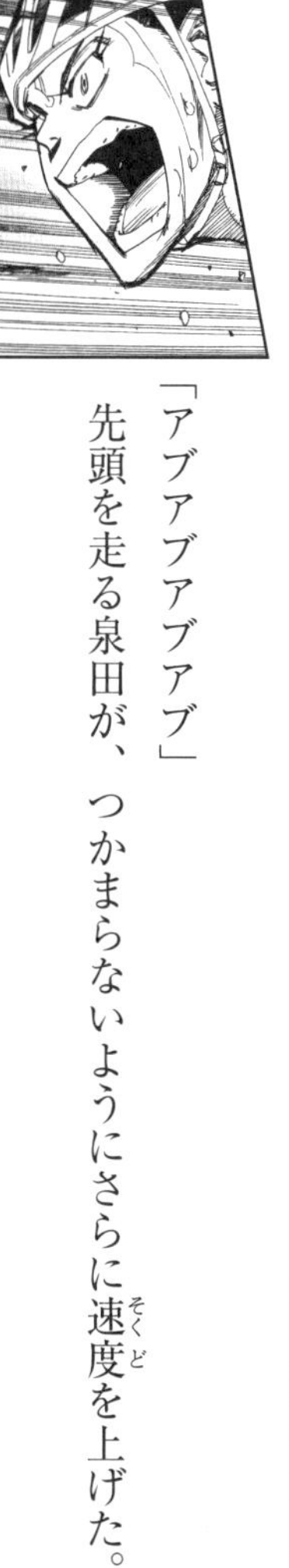

「アブアブアブアブ」
先頭を走る泉田が、つかまらないようにさらに速度を上げた。

すぐうしろまで、緑の六人がせまってきているのだ。

‼

坂道、ピンチ！

ふ――――っ。

坂道は深呼吸を一つした。なんとかおちつこうとしていた。
あの人は……みんなを混乱させて、気持ちをゆらして、こわす人だ
……。

「ちくしょォォ、もうだめだ」

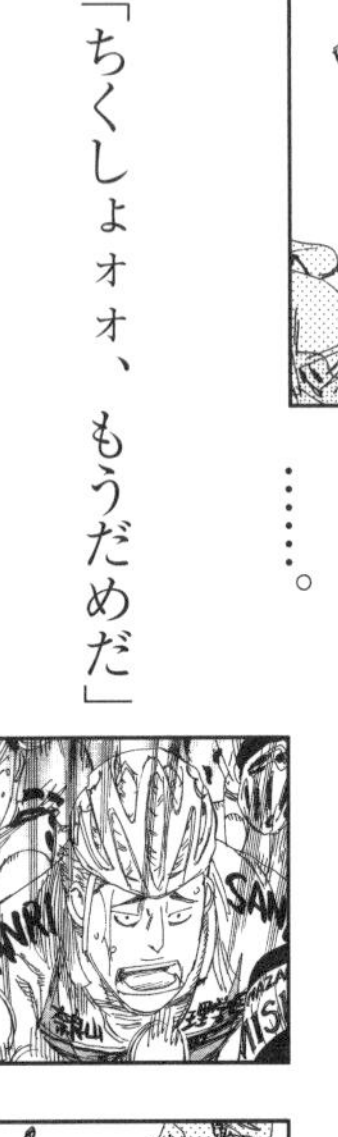

みんな、まっすぐに闘(たたか)おうとしてるのに。
前には、田所さんや、巻島(まきしま)さん……鳴子(なるこ)くんがいる……。
その先には、今泉(いまいずみ)くんと、金城(きんじょう)さんがいるんだ。
ふれさせちゃ、ダメだ。
ダメだ。あの人だけは
ぜったいに行かせちゃだめだ!!

追いかけよう!!

でも、どうやって……。

今、ボクは、おいていかれたばかりだ。
むこうは人数も多い……。
どうする……。

そのとき、坂道の頭にハッと、いいアイデアがひらめいた。今日、起こったできごとにヒントがあった。

あ……、

協調だ。

第二章　脱出（だっしゅつ）

蛇の胃の中で

人数がふえれば、速度が上がるんだ。
それが自転車だ。
人数をふやせばいいんだ！

そう気づいた坂道は、すぐにみんなに声をかけた。
なんとかして、今のじょうきょうからぬけ出さなければ。ぐずぐずしていると、やる気も体力もなくなってしまう。
「す……すいません。……あの……今からあの広島の人を追いかけたいんですけど……あの協調しませんか!?」

返事がない。みんな、うつむきながらこいでいる。坂道は、知らない選手にもしゃにむに声をかけた。

「すいません、あの、協調しませんか⁉」

「ああ……？　もう……オレは……」

「すいません、あの……協調……」

「なに言ってんだよ」

「すいません、あの人を追いかけたいんです」

「ムリだよ」

やる気をなくした集団は、心がバラバラだった。

リーダーまかせで、自分ですべきことを考えていなかった選手は、どうしていいか、わからなくなっていた。あきらめてしまっている。

こうしているうちにも、どんどんと待宮(まちみや)との差(さ)が開いてしまう。

……ハァ、ハァ……早くしないと……早く……。

あ、あの青いジャージの人にも……聞いてみよう。

「す、すいません。前を追いかけたいんですけど、ボクと協調(きょうちょう)しませんか⁉」

「あ⁉　んだ、てめ、
細メガネじゃねーーか」

あ‼

なんと、ふり向いたのは、箱根学園の荒北だった。

「協……調……」

坂道はびっくりしすぎて、せっかくの気持ちがシューッとしりごみしていくのを感じた。

なんで、この人がここにいるんだ⁉

アラキタ

箱根学園の2番の人だ……、

ボクの……苦手なタイプだ。

だけど、今はそんなことを言っている場合じゃない。先頭に追いつけるか、このままおいていかれるかの、せとぎわだ。

坂道は勇気をふるいおこして、自分にしっかり言い聞かせた。

苦手だけれど……飛び出した広島(ひろしま)の人を追いかけるんだ。

総北(チーム)に広島の人を近づけたくないんだ。

ボクは!!


そして荒北に向かって、なけなしの勇気をふりしぼって、自分でもびっくりするほどはっきりした口調(くちょう)で言った。

「お願いします、あの……ボクと、あの。いっしょに協調(きょうちょう)して、前を追いかけてください!!」

「るっせ。なんでてめェと走んなきゃなんねーんだ、バカ!!」

うわぁ

坂道の横にならんだ荒北は、けんもほろろに言った。

きげんが悪い。

荒北は、あらあらしくペダルをふみこむと、坂道の真横にいたはずなのに、ワープしたかのように数台前に飛び出した。

「オレァ、たった今、ヒロシマヤロウに出しぬかれて、いっぱい食わされて、アタァきてんだ。

てめぇのアソビにつきあってているヒマァ、ねーーーーーーーんだよ!」

そう言いすてると、すごいジグザグ運転で、集団を切りさき始めた。

荒北ののるイタリア製ビアンキの自転車が、青いいなずまのように集団の中をかけぬけていく。その美しいチェレステという緑色に近い水色のあとが、残像のように坂道の目のおくに残った。

「うおっ、ハコガクだ！」

思わず道をゆずってしまう自転車もいた。

「どっけ‼　じゃまゴラ。くっそ、あのヒロシマヤロウ‼」

荒北はさけんだ。

うあああああああ、速(はや)い!!

坂道はうなった。荒北の本気の走りをこんな近くで見るのははじめてだ。感動した。

「とにかく、まずはこの集団の先頭(アタマ)に出る!」

荒北は飛ばしに飛ばした!

シャッ、シャッと自転車を左右に自由自在(じゆうじざい)にふりまわしながら、すきまを見つけては次々(つぎつぎ)に自転車のはな先をこじいれていった。

荒北はくやしくて、たまらないのだ。

この大切なレースで……

くそ‼

はんだんをミスった‼

しかも……二度もだ。


一つは、スタート前に待宮のペテンにペースをみだされて、この集団が追いついてくることを考えつかなかったこと。

もう一つは、このタイミングで広島が出るとは思わなかったことだ。

待宮は、オレがなんとかこの集団をくいとめよう、速度を下げよう、と集団の中に入ったとき、わらってやがった‼

「かかった」つう顔だった‼

あいつらは、オレたち〝王者〟を
福ちゃんが作ったこの箱根学園つうチームを

コケにしやがったんだ‼
ボケナスが‼
うおおおら‼
代償……高ぇぞ、待宮ァ!!!
るああああああああ

荒北が二十センチほどの二台の自転車のすきまに前輪をこじいれたとき、その二台の選手は「ヒィーーーーー」と声をあげて荒北に道をゆずった。

また二台、ぬいた。

らんぼうなけもののような走りで一人だけ前へ前へ。すごい切れあじで、おそい自転車をぬいていく。


「すげぇ、箱根学園!!」

テクニックばつぐんの走りに、ほかの選手から声があがった。

「えっ、集団の先頭に出る気だ」

「ていうか、なんで、ハコガクがこんな集団にいるんだ?」

ハァ　ハァ　ハァ　ハァ　ハァ

あらい息とともに、荒北のすぐあとからもう一台来た。

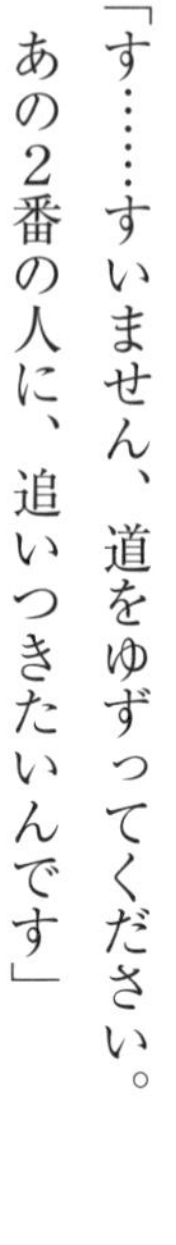

「す……すいません、道をゆずってください。
あの2番の人に、追いつきたいんです」

坂道だ。

坂道は荒北のようなスーパーテクニックはないが、その分、声を出して進む。

「あの、道をゆずってください!!」

「うぉっ、総北(そうほく)ぅ!?」

ハァ　ハァ　ハァ　ハァ　ハァ　ハァ　ハァ　ハァ

坂道は、荒北を見失わないように、少しずつ少しずつ、一台ずつぬいて、前へ進んでいった。

荒北は、いよいよ集団の先頭までぬけ切った。すると急に視界(しかい)がバンとひらけて、風が荒北の顔にあたった。

「ちいっ、見えねェ!!　くっそ」

広島の緑ジャージは、かげも形もない。夏の日ざしが、テラテラと道をてらしているのしか見えない。もうずいぶん先に行ってしまったのだ。

少しおくれて、坂道が集団をぬけ切った。
坂道は水面から顔を出したかのように、大きく息をついた。

フ———っ。

「あ⁉」
荒北が坂道に気づいた。
「んだ、てめ。細メガネ。まだあきらめてなかったのかよ‼」
とうしろをふり返って、あきれたように声をかけた。

ハァッ　ハァッ　ハァッ　ハァッ　ハァッ　ハァッ　ハァッ　ハァッ　ハァッ

坂道はあらい息がとまらない。とぎれとぎれの小さな声が荒北に聞こえてきた。

「……がいします。いっ、いっしょに走ってください。ほかの人に協調をことわられて……ハァッ　ハァッ　ハァッ……おねがいします。ハァッ　ハァッ　ハァッ、ハァッ　ハァッ……ぁなたしかいないんです」

「知るっかボケ‼」

荒北は一喝した。

「追いつきたいけど、広島に。平坦道は苦手だし……だけど……あのボクは……」

坂道はくいさがった。

ハァッ　ハァッ　ハァッ　ハァッ　ハァッ　ハァッ　ハァッ　ハァッ　ハァッ

坂道はなんとか息をととのえた。言いたいことがあったのだ。

「……前に出るためなら、ほかの人をうらぎってもいいみたいな、あの人のやり方が、あの、きらいなんです」

「なに？」

その声に荒北は坂道の顔を見た。坂道の言葉にきょうみをもったようだ。

「ハコガクの人たちは強そうだけど……まっすぐだと思います。御堂筋くんも……あの……口べただけど、たぶん、まちがったやり方じゃないと思うんです」

荒北の美しい水色の自転車と、坂道の地味なグレイの自転車が、たてに二台つながって走っている。

荒北はギロッと坂道を見ると言った。

「口べたァ？　ハ‼　あめェょ、その発想。戦略だよ。それも、ロードレースやってんだバカ‼」

「はっ、ひゃいっ……はい」

坂道はすくんだ。

こわい……。荒北さんは強くて、こわくて苦手なタイプだ。

でも、今はこの人に……おねがいするしかないんだ。

「いえ……あの、おねがいします。追いつくためなら、ボクはなんでもしますから‼」

「あ⁉」
荒北は坂道をにらんだ。
なんだこいつ……「なんでも」だァ？
けどこいつ、ちょっとだけ、福(ふく)ちゃんに、にている……の……か。

「ハ‼ おい、てめェ」

と、荒北が言った。

「ひゃいっ」

坂道はなんとか、話をつなごうとひっしだ。

「おまえには福ちゃんのこと、どううつってる?」

荒北が聞いた。

「福……? ふ。あ! ハコガクのエースの人……ですか。あっ、えっ……。は、話したことはないですけど……あの、一見こわいですけど、あのっ、みなさんに信頼されている感じの……あの、カッコイイと思います」

「あたってるよ。ついでに鉄仮面だ」

「あ。はは、そうです……か」

「じゃあ、オレは?」

荒北は自分をどう思うか、聞いてきた。

ハコガクの2番の人……⁉

坂道はいよいよこまった。これはテストなのか。オーディションなのか。まちがった答えを言ったら、先はなさそうだ……。

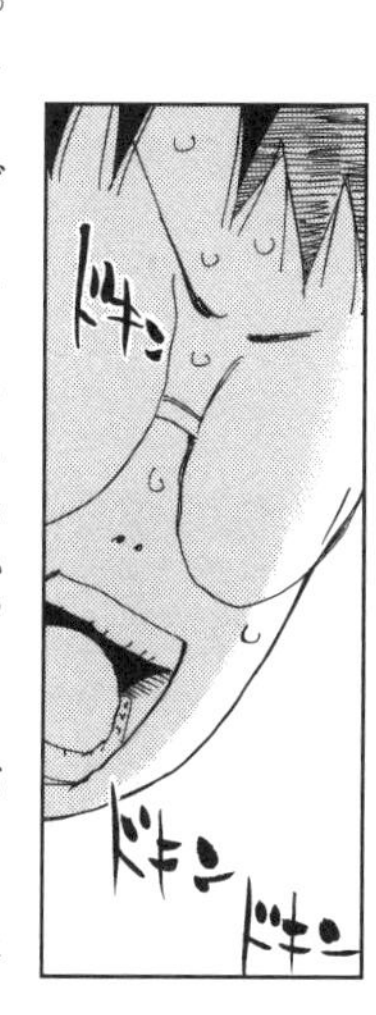

坂道は言葉がすぐに出てこなかった。荒北は細い目をさらに細めてジッと坂道をのぞきこんだ。

坂道は口の中がかわいて、パクパクした。おおかみににらまれたような気がした。

「どうした？」

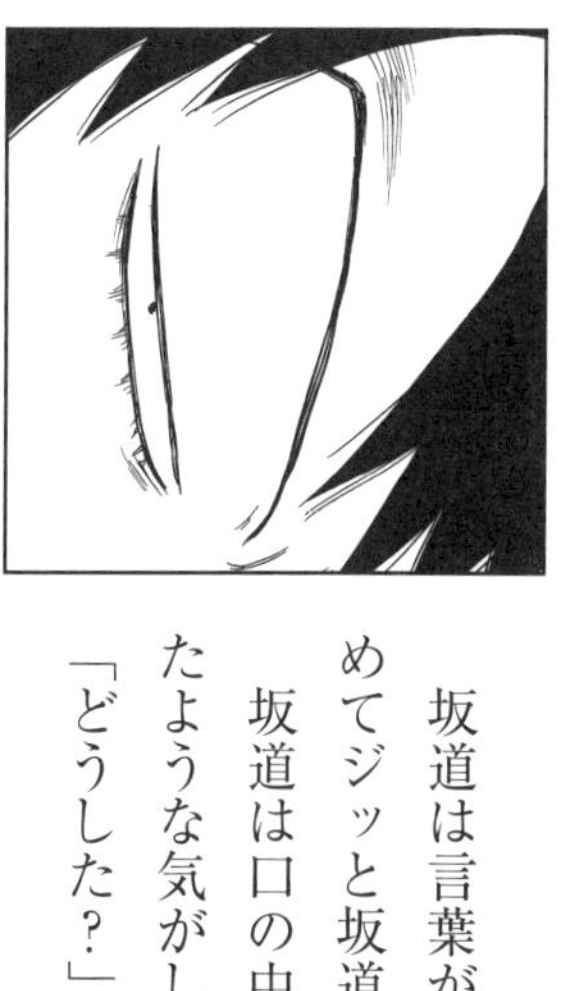

こわくて……え……と……。

「こわい人」なんて、いやいや、ダメだダメだ。そんなこと言っちゃ、だいなしだ。えーとえーと。

坂道は口の中がかわいて、パクパクと空回りした。

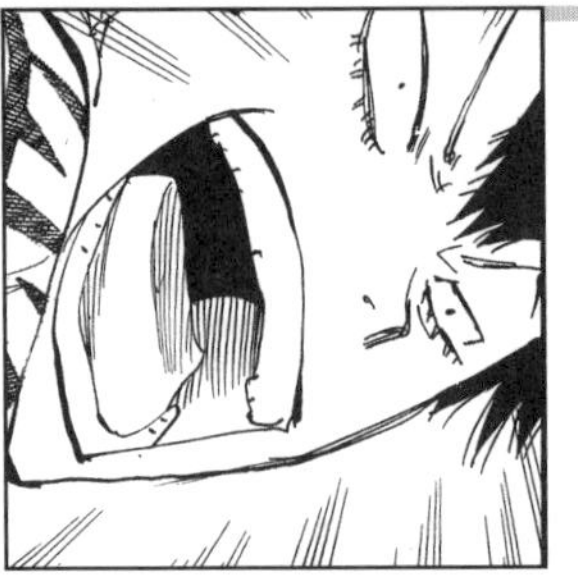

「早く答えろ、バカ！」

荒北がしびれを切らしてさけんだ。

「はいっ、こわくて、こわくて、今にも食べられそうな人です‼」

うわ、しまった。思ったことを全部言っちゃったーーーー‼

「いえっ、いえっ、ちがいます」と坂道はしどろもどろになった。それを無視して荒北は言った。

「じゃあ、なんで話しかけた？　オドオド、ビクビクしてさ。オレがこわけりゃ、さけりゃあいい。ふれなきゃいい。さけてとおりゃあ、平穏無事だろ」

「…………で……できません。チームの……ために、走りたいんです……ボクは、あの……ボクは……やりたいことがあるときは、全力で、できることでとっぱしろと巻島さんに言われましたから!!」

「バカ」

「バカ正直な上に、不器用だ!!　ロードレースに向いてねーーよ、おまえ」

だれかににてるけどな……と、バカ正直で不器用な男、福富の顔がなぜかうかんだ。そして、いつのまにか、こう言っていた。

「のってやるよ、協調。引け」

引け……って……言ってくれた！

こわい、ハコガクの2番の人が……!!

「はい!!」

大きく返事をした坂道は、みるみるうちにまんめんのえみに変わった。

「追いかけんぞォォラァァ!!」

いせいよく、荒北がさけんだ。

「はい!!　ありがとうございます!!　追いかけます!!」

坂道が答えた。

こうして坂道は荒北の前に出た。そして、荒北を引いた。二人は合体して、ペダルを思いっきりふみ始めた。
即席コンビのたんじょうだ。坂道は顔に新しい風があたるのを感じていた。

それを見た集団からは、
「見ろ、ハコガクと総北が飛び出したぞ」

「広島（ひろしま）を追う気だ」

「ムリだろ」

「たった二人でか⁉」

荒北（あらきた）がペダルをふむ足を休めて、集団（しゅうだん）のほうをふり返った。

「ど、どうしました？」

坂道が聞いた。

「あ⁉　ああ、もう一人、つれてくヤツがな……」

「え⁉」

ジャリ、シャ――――ッ

すると白い自転車が一台、集団からピョンとぬけ出してきた。

「ちっ、やっと来やがったか」

荒北がニンマリとわらった気がした。

「あ……まーーーーーーーーーーーーーーーーー真波くん!!」

「やっ、坂道くん」

まるでなにごとも起きてないようなおちついた表情をした真波が、ひょうひょうとペダルをふんでやってきた。

「真波ィーー、先に集団が来るってわかってたくせに、おまえが集団にのまれてんじゃねーーよ、バカ」

荒北が悪態をついた。真波はそれにかまわず言った。

「三人ならきっと、三倍の速度で追いつくよ!!」

「よし、追い……かけんぞ、細メガネ!!」

「はいっ」

三人の追走!!

今度は坂道を先頭に、荒北、真波がならんだ。

こうして、チームをこえた即席トリオが誕生した。

この新しい〝ミニ・ドリーム列車〟が、前を行く広島を追いはじめたのである。

それを見て、

「集団から三人、飛び出してる!!」

「ハコガクと総北だ!!」

「つええ!」

沿道から、そんな声がかかった。

その中を、

ガッアアアアアアアーー

坂道—荒北—真波の順で飛ばしていく。ジャージの色は、黄色—青—青、自転車の色は、グレイ—チェレステ—白だ。

「すげっっ」

「みるみる集団を引きはなしたぞ!!」

「行っけーーー!!」

「なかなかやるじゃナァイ!!

細っせえくせに!!

さっきまではビクビクくんだったが、この細メガネ、走り出したら、意外に回す」

荒北は坂道の走りに感心していた。

そのとき、坂道がふり向いた。

「あ、あの、あら、荒北さん……」

「あ⁉　なんだァ、もう限界か‼　細メガネ‼」

「全開で走っていいですか⁉」

「――――‼　ぜんかい？　あ⁉」

まだ全開じゃなかったのか。

意表をつかれた荒北に、真波がささやいた。

「ああ、荒北さん、彼、もっと回しますよ」

「ああああああああああああああーーーーっ！」
と坂道は今まで出したことがないくらい、大きな声をあげた。
と同時にペダルを回し始めた。

ぐるぐるぐるぐるぐるぐるぐるぐるぐる
ぐるぐるぐるぐるぐるぐるぐるぐるぐるぐ
るぐるぐるぐるぐるぐるぐるぐるぐるぐる
ぐるぐるぐるぐるぐるぐるぐるぐるぐるぐ
るぐるぐるぐるぐるぐるぐるぐるぐるぐる
るぐるぐるぐる

ペダルがいきおいよく回った。

「な？　なんだこいつ」

荒北はゾクッとした。

こいつ‼

※ケイデンスをあげるのと同調して、ニオイが変わる！

こいつのニオイはえものを追う、けもののニオイ‼

いや‼

※ケイデンス…ペダルの回転数

もっとちがうなにかだ‼
追う……、
追いかける。
ただ追いつきたい
そんだけみたいな。

敵（てき）をかっ喰（く）らってやろうって、よくがねェ‼
じゅんすいなニオイだ‼

しっかし、さっきから
コースどり、メチャクチャだ。こいつ、超効率（ちょうこうりつ）ワリィ‼

荒北（あらきた）は、

「ド下手だ。
おっめーーーーーーー、見ててイライラする走りだな」
と声に出して言ったので、

「えっえーーーーーーっ」
とおどろいた顔をして坂道がふり返った。

けど
おまえ

「期待以上だ、小野田チャン」
と言った。それを聞いた坂道の顔が
パッと明るくなった。

「今度はボクの番だ、先頭を代わるよ‼」

真波が坂道にならんできた。

「うん、ありがとう‼」

やりとげた満足もあって、坂道はえがおになった。

真波は前傾姿勢のまま、ギャンとペダルをふむと、
坂道の前にスッと出た。

こしのゼッケン6番が見えた。

うわっ、
急になんだ。風が……
なにかにつつまれているような……。
真波くんを、風が勝手によけているみたいだ。

坂道がそう思っていると
「行くよ！」
と真波が言った。
「うん」

カ――――――――ン

うああああああああ　速い!!

坂道は真波のうしろをはじめて走る。
その走り心地は、これまで味わったこともない感覚だった。つつまれていて、速い。
空気のかたまりをまとったまま、それごと前へ飛んでいく感じがした。

真波の走りをよく知っている荒北がうれしそうにさけんだ。

「ったく、このフシギちゃんが!!　真ぁ波!!　オンオフがはげしすぎんだよ!!　バァカ」


真波はブンブン、ペダルを回しながら、「今、オレ、生きてる!!」とわらって、自分の心臓のあたりをドンとたたいた。なんだかうれしそうだ。

「楽しい。楽しいね、坂道くん!!」

「うん!!」

「坂ならもっと楽しいね」

「うん!!」

荒北は思った。

楽しいだァ？　んだこいつら、わらってやがる。

敵を追っかけて、ピンチだってのに……。

そして、昨日の夜、福富と二人で話したことを思い出した。

だいじな最終チームミーティングが終わって、みんながいなくなったあと、宿舎のロビーで福富が「荒北」と近よってきたのだ。

ジェットコースターライド

「明日、最終日、もしレース中に真波が落ちたら、引っぱってつれもどしてくれ」

「あ⁉　あのフシギちゃんを、オレが、か⁉　なんでだよ」

荒北は思ってもなかったことを言われたので、口をとがらせた。

「福ちゃんよ、新開だったらわかる。あいつぁツカえる男だ。けど真波はボンヤリしてて、なんつうか、ちょっと坂を登れるクライマーってだけだろ？」

福富はそれには答えず、言った。

「つれもどしてくれ。おそらくヤツには、まだ覚醒してない部分がある」

「……一年ボーズだぜ？　かいかぶりすぎじゃないのか‼」

「荒北、おまえの〝運び屋〟としての力をわかってたのんでいる」

そんな話をしたのだった。

……んとなくな、ワカったよ、今ので……福ちゃん。

「おいこら一年ボーズ‼」

「えっ、ひゃっ」

反応したのは坂道だ。

「ちっ、ったく、平坦道じゃ、おっせーーんだよ!! ……。見せてヤンよ。王者箱根学園のエースを、過去何度もゴールまで運んだ、箱根学園ゼッケン2番の引きってやつを!!」

荒北はそう言うと、坂道をぬいて、真波をぬいて、三人のいちばん前に出た。

ハンドルはアンダーグリップ※で、背中をアーチのようにまるめたダンシングの体勢だった。表情はとぎすまされていた。スッとした、しずかな顔だった。

そのとたん、坂道は思った。

※アンダーグリップ…下ハンドルをにぎる

空気が――

空気の感じが変わった。

「ふりおとされんなヨ‼　一年ボーズぁ‼」

そう言うやいなや、ジェットコースターがはじまったかのように猛烈に加速した。

ギャアアアアアアアアーーー
前から〝切りさかれた風〟が、〝ちぎれて飛んでくる〟感じだ。三番目を走る坂道の前には真波がいるのにそう感じられた。

うあああああああああああ

ああああああ

風圧が……すごい。
空気がうしろに引っぱられる感じだ。

しっかりにぎっているはずのハンドルが、ビリビリとゆれている気がした。坂道は手がすべった拍子にアンダーグリップになった。

そっか、こうやって前かがみにふせていないと、風で持っていかれそうだ。
自転車にしっかりつかまってないと、本当にふりおとされる!!
こんなの……はじめてだ!!!

速度はますます上がっていき、荒北は右コーナーにつっこんでいった。

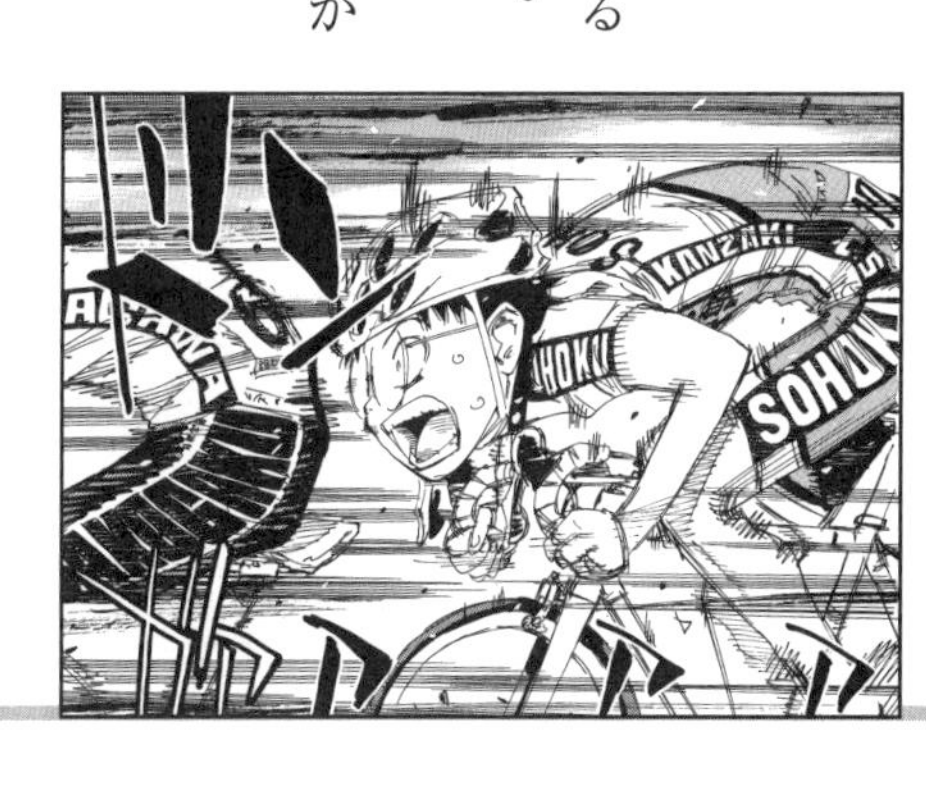

「らぁあ‼」

気合を入れるようにさけんで、自転車を少しだけ右にかたむける。

道のはしっこを知らせる表示灯に「チッ」と荒北の右肩があたった。

ギリギリだ……あの人……。

本当にコースギリギリを走っている。

速い、あぶない。

あたった！

坂道はおどろいた。

坂道は表示灯にぶつかりそうでこわかった。こんな速い速度で、こんなに道のきわきわを走るのは生まれてはじめてだ。

ペダルを回すだけで、ついていくだけで、やっとだ。
まわりのけしきを見るよゆうなんてない。
前しか見えない。

すごい、
これが、
本物の……、

ゴール前……、
闘ってゴールをとる人の走りなんだ……!!

ブルッと坂道はむしゃぶるいした。

ゴール……。

そうだ、
インターハイの
今日のゴール。

どうなっているんだろう

総北は———。

そう思ったときに、ふと真波と目があった。真波は目があった
ことに気づくとニコッとわらった。

「見えたァ」

荒北がさけんだので、坂道はビクンとおどろいた。
「あ……え。ひ、広島ですか」
「チィッ、いや、そいつは残念賞だァ、小野田チャン‼」

「小野田くん‼」

前を走る鳴子がふり向いた。

泉田（青）―田所（黄）―鳴子（黄）―東堂（青）―巻島（黄）の編成で、前を走っているドリーム列車に追いついたのだ。

「あ……、巻島さん、田所さん、鳴子くん‼」

「荒北‼」

「小野田!!!」

「泉田ぁあ、てめェが引いてて、広島にぬかれてんじゃねーーよ、バァカ!!」
荒北は大声で泉田をしかった。
「すいません!!」
泉田は荒北の合流を心からよろこんでいるようだった。

荒北はすぐに気づいた。広島はすでに、もっともっと前にいることに……。

坂道はうれしそうに話し始めた。
「でも、よかったです。また合流できて。あの……荒北さんや真波くんのおかげで、ここまで……ごぅ流……流？　ちょ、ちょっと！」

ところが荒北—真波—坂道の三台は、合流……しなかった。

速度を落とすことなく、荒北よりペースのおそいドリーム列車をゆうゆうとぬきさっていく。

「えーーーーーーーーーーーーーーーーーっ、つ、通過ですか、あの、荒北さん!! 合流しないんですか〜〜〜!!」

大レース初体験の坂道はびっくりした。

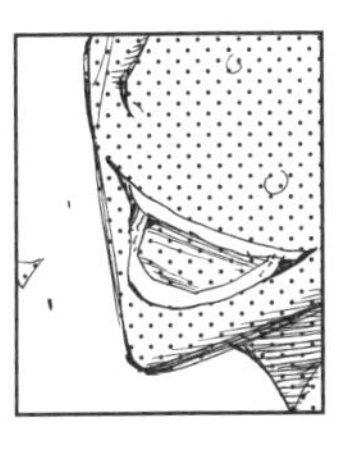

「小野田チャーン……わかんねェのか……」
「イ……インターハイの最後のステージで、一分一秒をあらそっているときに、合流してる時間はない、ってコトですか」

荒北はイエスもノーも言わず、しばらくだまったあと、

「バァカ。ニオってんだろ、クサイニオイが!!」

と、はなをクンクンさせた。

「止めらんねーんだよ、こんなところで。近えんだよ、もえるんだよ、うずうずすんだろ!!」

野獣だ。荒北は野獣になっているのだ。

まさか

と思いながら坂道は次のコーナーをまがった。

「敵、かっ喰らってやろうってな!!」

と荒北がさけぶと、そこには、ついに、緑のジャージの六台が見えた。

第二章
待宮(まちみや) 対 荒北(あらきた)

待宮をつかまえる

広島呉南!!!

すごい、追いついた、広島に!!

坂道は目をまるくした。

荒北にひっしにくっついていくうちに、追いついたという感じだ。荒北の走りがすごいことを坂道は知った。

「エエッ!?」

おどろいたのは待宮だった。への字口になっている。

「なんで集団の中にいたおまえらが、ここにおるんじゃ!?」

とでも言いたそうだ。

「そうだ‼　オレが見たかったのは、そんな顔だよ‼

マチミヤァァァ‼」

荒北が強気で言いはなった。

緑の六台と、青—青—黄色の三台は、あっという間に並走状態になった。

「クンクン、くせぇよ、おめェら‼　ニオうんだよ。ドブだ‼　小細工してチョロチョロにげ回る、ドブネズミのニオイだ‼」

「く‼」

待宮は、おく歯をかんだ。しかし、すぐに指示を出した。

「加速して、ハコガクをふりはらえ‼　里崎、塩野‼　目いっぱい引っぱれ‼」

「ハイ！」

「ハイ！」

広島呉南は加速態勢に入った。待宮はれいせいさを取りもどした。

消す‼

消しさる‼

よくも追いついてきたが、

追うがわってのは、追いついたしゅんかんが一番、油断する‼

足が止まるんじゃ‼

エエ……へへ

先頭に追いつくのは、ワシらじゃ。

そして――

表彰台の一番高いところ、いただくんじゃ‼

エエ‼

そう、ほくそえんだときに、

「おまえら……たいしたことないじゃなァイ!!」

荒北がさけびながら、ぴったりと広島の選手の左横にならんできた。

エ、エエ⁉

広島呉南が加速なら、荒北たちも加速だ。

「おいおい、にげんなよ。やろうぜ……。オレァはらペコなんだ……。箱根学園を出しぬこうとしたおまえらを喰ってやりたくて、ゾクゾクしてんだ‼」

そう言う荒北は本当に人をくいそうな魔物のような顔をしていた。

「野獣……荒……北ぁーーー」

待宮がさけんだ。

「なにやっとるんじゃ、もっと引けぇぇ‼」

「ハイ！」

里崎に代わって、今度は塩野が先頭で引き始めた。待宮のすぐうしろには荒北がピッタリとくっついて、さけんでいる。

「にげらんねーんだよ‼　ドブ、マチミヤァァ‼　オレに喰われて、てめェはここで終わりだァァ‼」

そのときだった。

パン

パンパンパン

はくしゅの音がした。

「強い……いやあーー、たいしたもんじゃ、ハコガクはさすがじゃ……」

場ちがいなはくしゅをしたのは、広島のスプリンターのゼッケン32番の井尾谷だった。とつぜん、へんなことを言い始めた。

「ペテンと見せかけの足だけじゃあ、引きはなすことはできんいうことじゃろ」

「あ!?」

なんだか、はぐらかされた荒北が口をひんまげた。

広島の東村が、だれにも聞こえないような小さな声で、悪い予感があるかのようにつぶやいた。

「井尾谷さん、あなたが動くということはーー‼」

すると井尾谷は、待宮のとなりにスッとならび、ペダルをこぎながら肩に手を回した。そして、二人はこそこそとないしょ話をした。

井尾谷がある作戦をていあんした。

「ミヤ、かんねんしろや。〝アレ〟をやんねーと、こいつらは引きはなせんぞ」

それを聞いた待宮がつぶやいた。

「……チィ……。先頭に追いつくまで、とっておきたかったんじゃが、コレは……」

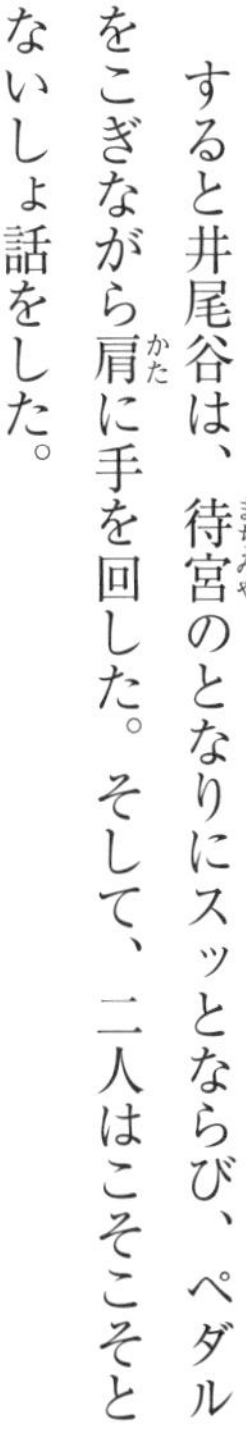

え……、あの人、空気が変わった……。
うしろから見ていた坂道はゾクッとした。

待宮の目が、なにかをのろうようなこわい目になっていたからだ。

井尾谷は荒北のほうに向かって、目を細めて、意外なことを言った。

「そんなに勝負したいんじゃったら、ノってやるよ、荒北クン。だがこのまま走っても、おたがいしょうもうするだけじゃ。一つ、ルールを決めんか」

「あ⁉　ルールだァア」

「二十メートル。おたがい、〝二十メートル以上はなされたら追わない〟って取り決めはどうじゃ。つまり、『二十メートル引きはなしレース』じゃ。相手を二十メートル引きはなしたら勝ちじゃ。ちょうどこの先、給水所まではた・・が立っとる。このはたの間隔は約十メートル。相手をはた二本分引きはなせば、勝ちじゃ。わかりやすいじゃろ、どうじゃ」

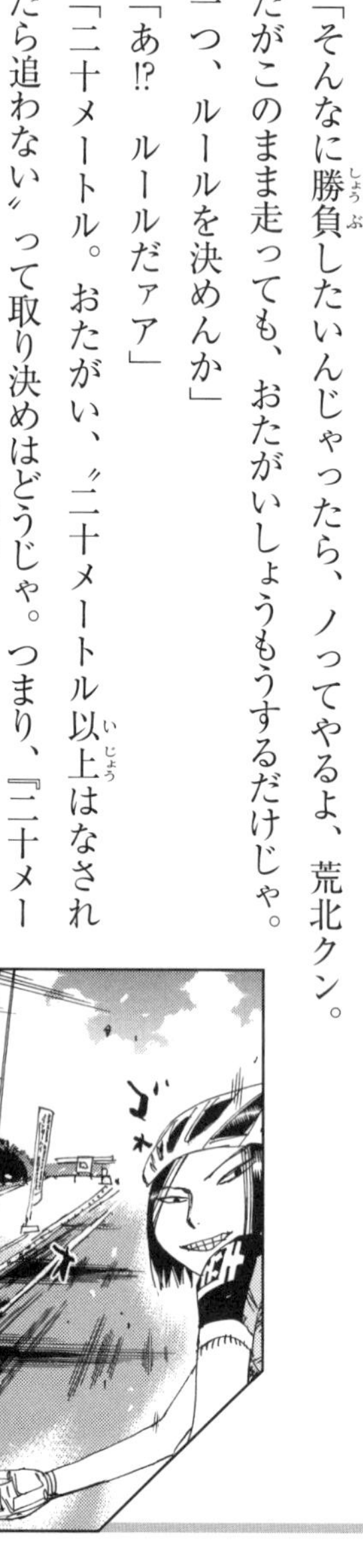

「ハ‼ んなルールなくても引きはなしてヤンよ‼」

荒北は相手にしない。

「そう言うならのんでくれよ。心配するなフェアにいく。こちらもそちらにあわせて三人で闘おう。塩野‼ 里崎‼」

「ハイ」

「下がってろ」

「ハイ」

ん？ 先を走っていた二人を下げた⁉

荒北はまゆをひそめた。

坂道は、前を引いていた人はスプリンターじゃないのか‼ とおどろいた。

「箱根学園ならあるていど、敵のデータもしらべとるじゃろ。聞いたことあるじゃろ、広島にはスプリンターが三人おるって。東村ぁ‼」

メガネの選手が前に出てきた。
「メガネ‼　メガネスプリンター‼」
荒北が声をはりあげた。
「もう一人は、ゼッケン32番……井尾谷、オレもその一人じゃ。そして、最後の一人は、ゼッケン31、エースナンバーの待宮栄吉じゃ！」

広島呉南（ひろしまくれみなみ）はスプリンターだらけのチームだったのだ。たいする坂道と真波（まなみ）はクライマーだ。これは不利（ふり）なのか。

ともかく、いよいよ、待宮の本気の走りがベールをぬぐときが来た。

待宮がにらんできた。

「悪運（あくうん）だけでここまで来たと思うなよ!?　ハコガクゥ!!」

しだいに、茶髪（ちゃぱつ）のチャラいイケメンのふんいきはどこかに消えてなくなった。そして、いかりとうらみのかたまりのようなキツい顔つきになっていった。

真波もそれに気づいた。

そして、ようやく荒北も待宮の変化を感じた。

「ん?　こいつ、ニオイが変わった。別（べつ）もんじゃないか」

待宮が別人（べつじん）のような声を出した。

「さぁ、やろうや‼　二十メートル引きはなしバトル‼　勝ったほうが先頭行きじゃい‼
ドブだぁ⁉　てめェの方が、ドブネズミじゃ、アラキタァ‼」
まるで待宮の中にいる、もう一人の待宮が出現したかのようだった。

荒北は真顔になった。
マチミヤァ、こいつ、
せいかくがガラッとかわっちまってる――いや　こっちが本質か‼

こいつ、自分にまでペテンをかけてやがったのか!!

新・待宮は口からしたをだらりと出している。したの先からは、よだれがつたってボタボタと地面に落ちていった。

ハッ、ハッ、ハッ、ハッ、ハッ、ハッ、ハッ、

みじかくあらい息をし始めた。

「自分でなァ、セーブしとかんと……ワシどうしようもなくなるんじゃ。ちぃと気性があらくてのぅ!!」

そう言いながらもしたは出しっぱなしだ。

「こっちがマチミヤの…本質!!　野犬?」

あまりに予想外なてんかいに、いっしゅん、荒北がすくんだ。

ハッ、ハッ、ハッ、ハッ、ハッ、
ハッ、ハッ、ハッ、ハッ、

よだれをたらし続ける待宮、それはまるで、犬のようだった。井尾谷がかいせつする。

「本性をかいほうしたミヤは、ワシらにももう止められん。目の前の敵にかみつき……息たえるまでしつこく追う。きっすいのバトルスプリンター。ついたあだ名は『呉の闘犬』」

待宮はフォームチェンジを始めた。けんこう骨を大きくつき上げて、下ハンドルをにぎり、ひじを外に大きくはり出す。上体は前輪の真上までのり出して、あたかも四本足で走るような超前傾姿勢に。目が左右につり上がり、そして、長いしたをあいかわらず出したままだ。そして、〝ひとほえ〟した。

「エエエエエエエ‼」

闘犬……⁉

ハンドルが胸につきそうだ。

異様なクラウチングスタイル。

坂道はゾクッとした。

呉の闘犬

「ドラアアアアア」
待宮がさけんだのを合図にバトルが始まった。

「速い！　こいつら、ゼロスタートが異様に速ええ!!」

「エエエエエエエ!!」

ぐいっ、ドン、ぐいっ、ドン

なんだろう、この音は、ドン、ドン、って。

待宮がダンシングでペダルをふむたびに、坂道がこれまで聞いたことのない、なにかがぶつかる音が聞こえた。

その音のひみつを井尾谷が語った。

「待宮のダンシングは異様じゃ。異常に発達したけんこう骨から引っぱられた上腕はバイクをふるたび、ハンドルを胸にぶち当てる！」

え!?　ハンドルと胸が……あたる……!?

「あたったハンドルはヤツの胸にアザを作った。そいつが、闘犬とよばれるもう一つの理由じゃ」

気がつくと、待宮はジャージのチャックを全開にして走っていた。ハンドルがドンドンとあたるせいで、両胸に同じような赤紫色のあざができている。それがちょうど、犬の

目がにらんでいるように見えるのだ。

闘犬モードの待宮は、バイクを左右にふりながら加速。それにあわせて、長いしたも左右にゆれた。

「ドォラララァァア‼」

いきおいよく広島の三台が出た。

もう一つの協調

ギャガァァアア――――
けたたましくアスファルトをけって、荒北をはなす。待宮たちの先制。
くっそ‼　一気にはた一本分‼　あいつ、マチミヤ。このまま一気にカタをつける気か。
なんだよ、二十メートル引きはなしバトルって……。

……ち!!　みょうなモンに足をつっこんじまったか!!

荒北がちょっとくやんでいると、坂道が声をかけてきた。

「荒北さんっ!!」

「あ!?」

「あの……はなされてます、広島に!!」

坂道は気が気じゃなかった。こんな野生の犬みたいな人と走るのははじめてだ。あらくれ者の荒北がふつうの人間に見えるほどだ。

「っかってるよ、バァカ」

「あの、ボクはあの人を金城さんや今泉くんに近づけたくないんです。あの、だからもしボクにできることがあるなら、言ってください。なんでもやります!!」

「……!!　ハッ!!　いい心がけだ。んじゃ、ぜったいに弱音はくなよ。それとこいつあ、

クライマーちゃん二人にだ。今から、チギれるほど足、ぶん回すぞーー。

ぜったいにオレからはなれんな‼」

「はい‼」

「はい」

「うるああああああああああああ」

ゴオオオオオオオオーーーーっ
荒北のジェットコースターライドが発動した。

トリオはひとかたまりになって、緑の闘犬軍団を
追った。

「う……ああああああああ」

思わず坂道も大声を出していた。

ぐるぐるぐるぐるぐるぐるぐる

ケイデンスをあげる、あげる、あげる、あげまくる！

ギュンと速度が上がる。

ハァ　ハァ　ハァ　ハァ　ハァ　ハァ　ハァ　ハァ

心臓のポンプがマックス運動状態に入った。全身に血を行きわたらせる。荒北の目に生気がやどる。

「オレの場合そうやって、目の前をチラチラ走られるほうが、もえるんだよ‼」

荒北は緑の三人の横に自転車をピタリとならべた。そして、あおりもんくを投げつけた。

「ふりだしだァ、マチミヤァ。

一気にカタをつけようと思っただろうが、ざんねんだったなァ、させねーーよ!!」

「一気に!?」

待宮は、よゆうしゃくしゃくで荒北に問うた。

そして、わらった。

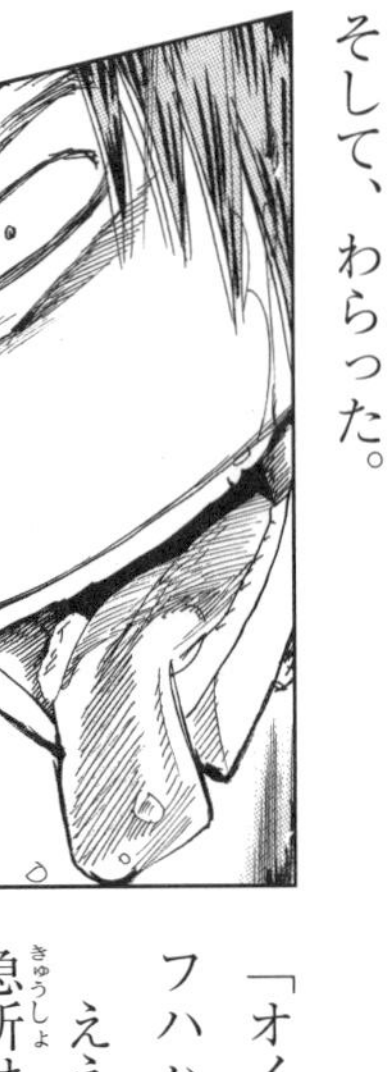

「オイオイ、今のはたんなる小手しらべじゃよ、ブフハハハ。闘犬のこと、なんも知らんのぅ。
ええか、闘犬はいきなり首にかみついたりせんて。急所はずして相手の実力を見てから、そこからが命の取りあいじゃい!!」

坂道はハッとした。命の取りあい……ぶっそうな言葉が気にかかった。待宮は長いしたをぶらぶらとゆらしながらしゃべっている。

「アラキタァ、おまえが二ひきのクライマーをつれてどれくらい走るのかとねぶみをしてみたが……これが思いのほか、へいぼんな走りじゃて」

荒北はギリッとおく歯をかんだ。

「ハコガクもエース以外はフツウじゃのう。エエ？　これならラクに先頭にたどりつけそうじゃ!!」

「……てんめェ」

「そろそろ先頭にたどりつかないかんのじゃ、ワシは。やくそくがあるからのう」

やくそく……ってなんだ!?

すると意外な名前が待宮の口から飛び出した。

「御堂筋とのやくそくがな!!」

み

え

え……。

坂道たちはびっくりした。
すると、たのみもしないのに、待宮がやくそくの中身をしゃべり出した。

「ブフ。あれは一日目。箱根の登りでじゃ……」

「わかった。京都伏見が集団コントロールでエエ。このまま登ろう。広島はもう飛び出さないよ」

待宮がそう言ったのは、大会初日、ちょうど小田原の市街地で大きな落車事故があり、生き残った選手たちが、坂を登り始めたときのことだ。御堂筋の京都伏見と、待宮の広島呉南は、うしろのほうを走る集団の先頭にいた。御堂筋にはこの集団をコントロールしようという作戦があった。

それをみすかしてか、待宮がていあんした。

「ここはまかす。だが一つ、やくそくしてくれんか、エース御堂筋くん。おまえはモッとるオーラがある。どうじゃ、もし三日目……最終日……同じく優勝争いをしてるとしたら、京伏と広島、手を組まんか？　エエ‼」

いつものくせで髪の毛を指先でくるくるとつまみながら待宮はあまい声でそう言った。

「なんでなん」

御堂筋はまっすぐ前を見て言った。

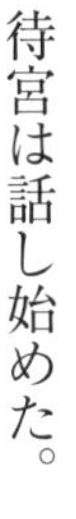

待宮は話し始めた。

「ええか、ワシはおまえが言うとる『ザク※』とはちがう。それにおたがい、目的が同じじゃからじゃ」

目的が同じ、と言ったしゅんかんに、ぐるんと、御堂筋の大きな黒目がこちらを向いた。

すかさず、待宮は御堂筋の肩に手を回して、しっかりと組んだ。御堂筋の肩はデカかった。

そして、御堂筋の耳元でささやいた。

「箱根学園をぶっつぶすというな‼」

よし。

待宮には、御堂筋の心に自分の言葉がささったという手ごたえがあった。それがさめぬうちに、次の言葉を投げかけた。

「思っとるんじゃろ、御堂筋くん。おまえもそろそろ〝王者交代〟の時期なんじゃないかーーーって。ワシも去年はハコガクには〝世話〟になった。

あいつら、つぶそうや……京伏と広島の〝協調〟で」

※ザク…「ざこ」のこと

御堂……筋くん。

坂道は、昨日の夜、二人で走ったことをふと思い出した。

まけたショックで京都に帰ろうとしていたのに、その考えを変えてもどってきた御堂筋翔!!

広島との協調

ないてもわらっても最終日三日目、レース先頭では四台がトップを走っている。

箱根学園の福富を引っぱる新開、そして、総北高校の金城を引っぱる今泉。この四人に向けて、審判車から順位を表すボードが出た。

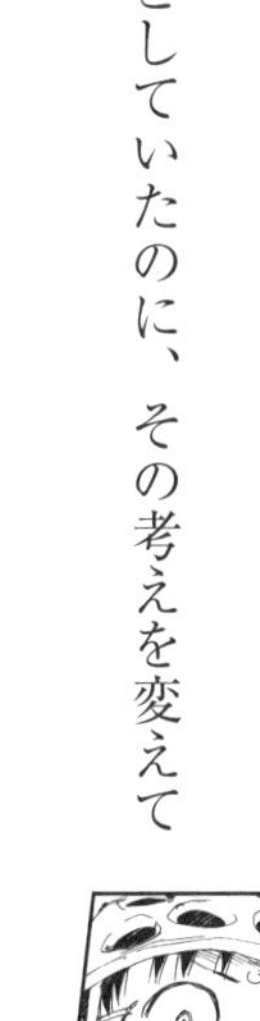

三分一秒うしろに

広島　31
広島　32
広島　36
神奈川　2
神奈川　6
千葉　176

数字はゼッケンナンバーだ。

「ん？」

と最初に反応したのは今泉だ。おどろきをかくせない。

「広島がすぐうしろに!?　どういうことだ。え？」

「寿一……ヤッバイな‼」と、新開が言うと、
「ああ」と、無表情で福富が答えた。
そして、四台のさらに十メートルほど、うしろを走っている男が、
この順位ボードを見て反応した。

「やっと……動き出したか……。
プププ、マチミヤァァクン‼
協……調‼」
紫色のジャージ、京都伏見の御堂筋だった。
その御堂筋を引く石垣は思った。
御堂筋‼
先行する箱根学園、追う総北……オレたち京都伏見は、ついていくのがやっとや。

総合優勝をねらって、すべてのチームが全力で走るこの三日目の状況を一気にひっくり返そうというんか、御堂筋……広島との協調で‼

石垣はふり向いて、御堂筋の顔を見た。その顔はまばたきが止まったように目をむいていて、歯をイーッとかみしめていた——。

待宮のうらみ

御堂筋とのひみつを明らかにした待宮は奇声を発した。

「ぶるるるああ‼」

したがベロオッとゆれ、よだれがあたりに飛んだ。

ヤベェ…‼

広島と京都の協調は、寝耳に水もいいところだ。荒北はなんとかしないと、と考えをめぐらした。

かりにオレたちがこいつらにチギられて……、広島が全員先頭に合流したら――、京都伏見二人と広島呉南六人で合計「八人」……!!

こうなると、主導権をヤツらが取ることになる!!

待宮の声がした。

「こいや……!!　さっさと決着つけようや……。ワシがかみころしてやるワ、なァ」

荒北はおく歯をかみしめて、待宮をにらんだ。

待宮は「なァ」ともう一度、言いながら、ぐわんと頭をハンドルより前に思いっきりつき出した。

「箱根学園のォー!!」

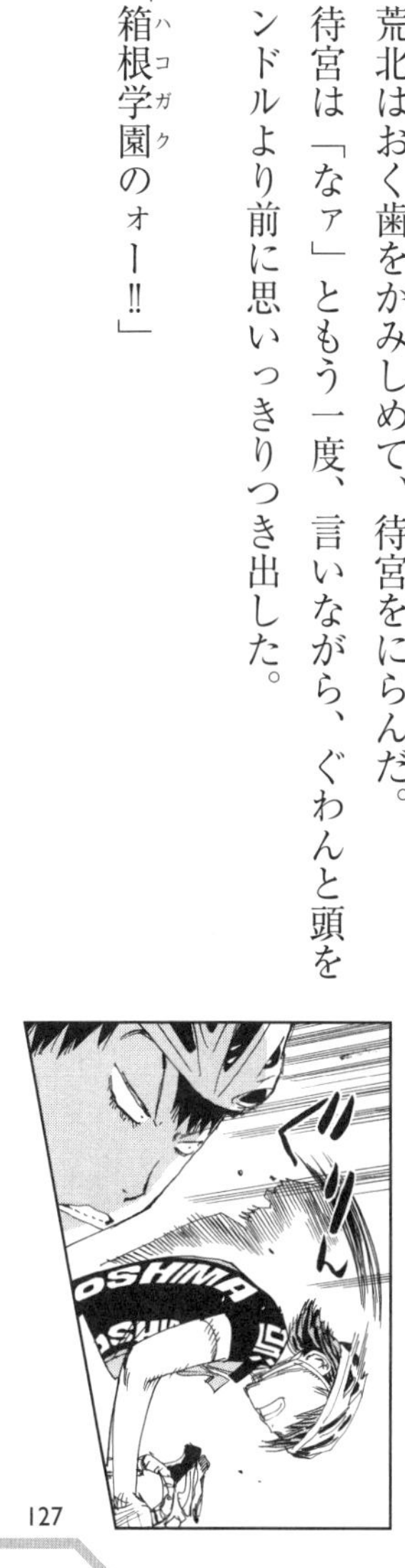

学園

大きな声を出しながら、とつぜん、荒北に頭突きをした。待宮のヘルメットが、高速走行中の荒北のこめかみにヒットした。

「荒北さぁん！」

坂道のさけびもむなしく、荒北の自転車は外側にすっ飛んでいった。前輪と後輪のバランスが大きくくずれ、ぐらんぐらんと自転車はゆれた。だれもが落車すると思った。

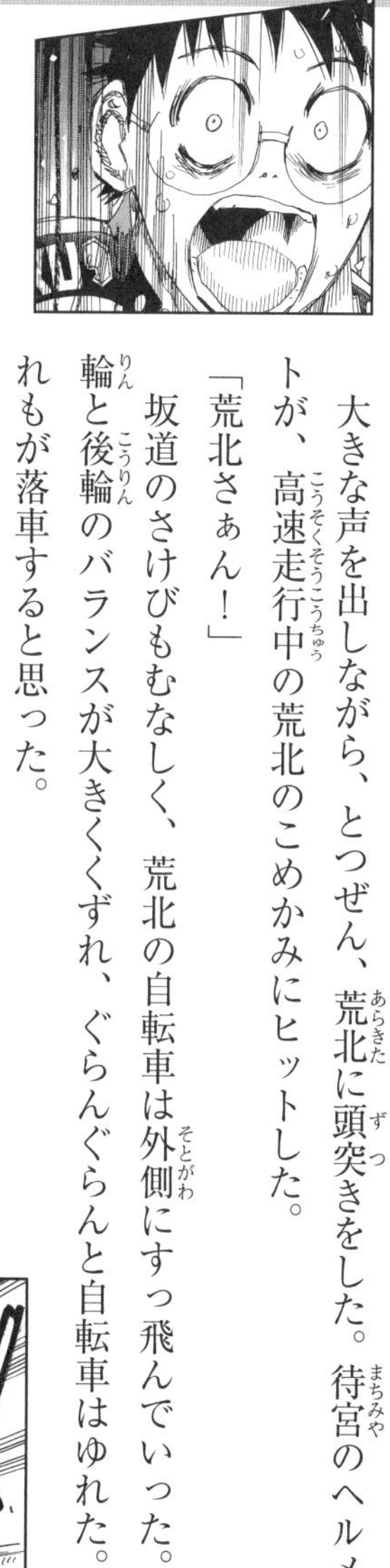

「ワシはな、そのジャージを見ただけで、はき気がするんじゃ‼ 気分が最悪になるんじゃ‼」

待宮は毒のような言葉を投げつけた。

荒北は左手でブレーキをかるく操作して、自転車を立て直した。

落車は起こらなかった。

「あ……あぶなかった……。よかった……」

坂道は声にならない声を出した。

真波はだまったまま眉間にしわをよせた。

「荒北さん、うわ、血‼　出ていますっ」

荒北のこめかみからまっ赤な血が二すじ流れ出ている。

「てんめェ……」

と、荒北はうなりながら待宮をにらんだ。待宮はニカッとわらっている。

「やれよ、おまえも、頭突き……」

待宮は坂道がまったくそうぞうしていなかったことを言った。

「今のがゴングがわりじゃ、ハコガクを地に落とす、勝負のォォ——‼　ドラアアア‼」

さらにここぞとばかり一気にアタックをかけた。

「くっ」

荒北はペダルをふみおくれた。待宮ペースだ。

「アラキタァ、ハコガクのおおかみと言われとるらしいのォ、ブハッ。おおかみぃ…　〝かわれたペットのおおかみ〟じゃな?」

とあおった。荒北のほおがピクピクとふるえた。

「ペットのォォォォーーー!!」

待宮がさけぶ。広島は息をあわせてドンと加速。

ガアアアアアアアアーーーーーーーー

一気に差が開いていく。開いていく。開いて……いく!

「あ、荒北さん……!!　はた一本分です……いや……一本半です」坂道があわてる。

「っせ。だまってついてこい!!」

荒北がハンドルをにぎりしめる。

ギャン

ギアチェンジ。

その様子(ようす)を待宮(まちみや)はチラリとふり返った。

「ひっし」

ギャン

「ひっしじゃ」

うれしそうだ。

「そうじゃ、ワシが見たかったのはハコガクの……

『そういうカオ』じゃ‼　アラキタァ‼」

荒北(あらきた)には、もはやよゆうはない。おく歯をギリギリとかみしめながら、ひたすらふむ。

ふむ。ふむ！

「いよいよ晴らせる。これで……去年のインターハイ……広島大会のせつじょくを!!」

待宮はつぶやいた。

前回の広島大会

去年のインターハイで、いったい待宮になにがあったというのか――。

「福富くん、おねがいじゃ。水をわけてくれんかのう」

待宮は、すぐ前を行く福富におねがいした。

二日目、五十二キロ地点のことだった。

二年生だった待宮はレースの最中に予期せぬトラブルにみまわれていた。それは、ボトルのはそんだった。

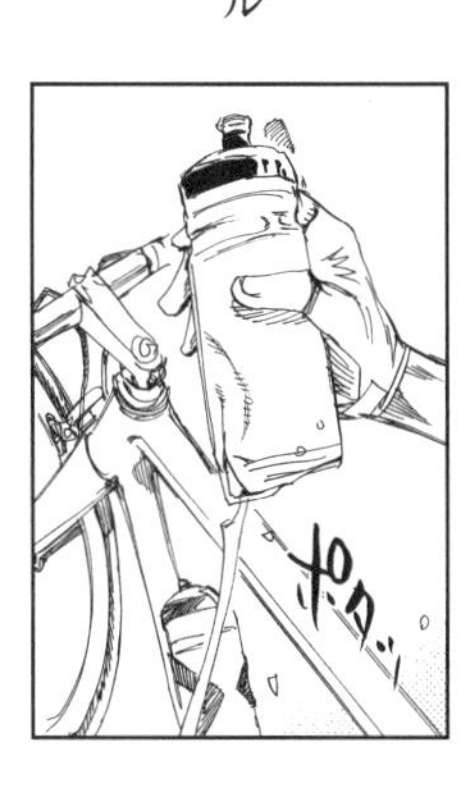

自転車のフレームに取りつけてある、ドリンクボトルがなにかのひょうしに割れたのだ。もう何時間もなにものまずにこいでいた。

「昨日よりあつい……なのにくそ……ボトルが割れとって、中身がなくなっとる‼　二本ともじゃ、くそ‼」

死ぬほど練習した。

地元開催で期待もかけられていた。

コンディションもこのうえなくよかった。

なのに、水分が――‼

このあつさで水分がなけりゃあ、この先、体がもたん。ついてない……‼

けど、ワシはエースじゃ、このステージ……かならず結果を出すんじゃ。

はじを、はじをしのんで……‼

「福富くん、おねがいがあるんじゃ。聞いてくれるか」

福富はなにも言わず、待宮を見た。

「言いにくいんじゃが……その……ボトルを一つ、わけて……くれんか。

うけ取るときにぶつけたんじゃと思う。割れとったんじゃ‼

アクシデントじゃ‼　たのむ‼」

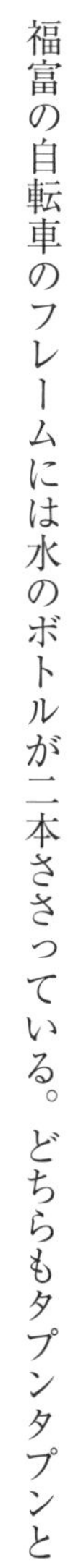

福富の自転車のフレームには水のボトルが二本ささっている。どちらもタプンタプンと水面がゆれている。
「このにげに乗って、前を行く総北をとっつかまえないと、今日の優勝はないんじゃ」
待宮はひっしだった。が、福富は鉄仮面のように反応がない。
「ワシはエースなんじゃ‼　地元開催で期待もせおっとる。わかるじゃろ‼　ワシもひっしなんじゃ、たのむ‼」

福富(ふくとみ)は、ごしごし自分のアゴをこすった。そして、「できない」と言った。

「オレも前を行く総北(そうほく)をチェックするつもりだ。それでゴールまで行くのに、今、ボトルを失うわけにはいかない」

「じゃから、そこをなんとかおねがいしとるんじゃろうが!!」

ヤバイ……のどが……。

大きな声を出したせいで、かえってまたのどがかわいた。

「アクシデントなんじゃ……たのむ……」
最後(さいご)のたのみも聞き入れられなかった。福富はつれない。
「うしろからくるうちの選手(せんしゅ)に、ボトルのよゆうのあるヤツがいる。そいつからもらってくれ」

待宮（まちみや）はまた大声を出した。

「うしろのヤツにもろうても……今、行かなトップはとれんのじゃ。ワシはとらないかんのじゃ」

福富はスパートした。

「なん！　待て……待てや、ハコガク!!　おまえら、一日目にステージをとったからエエやろ!!」

「すまないな、オレにもやることがある!!」

そう言うと、福富のすがたはどんどん小さくなっていく。待宮はおいていかれた。

待て……、
待てよ……くそ……、
ワシは勝てるんじゃ……、
足はまだあるんじゃ。
なのに……水がない。

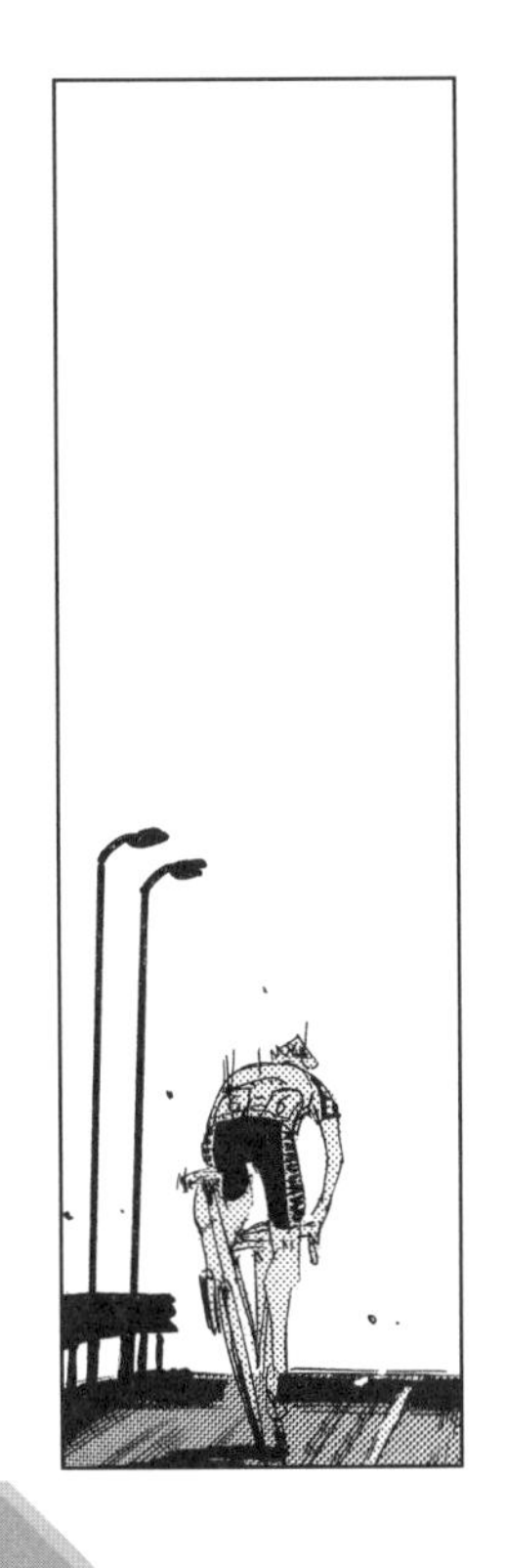

ワシは地元で……、
二年生エースで……。

そう思ううちに、なみだがとめどもなく出てきた。待宮はペダルをふみながらないた。
そして、ゴールしたあと、表彰式でもう一度、くやしくてないた。
「第二ステージは、箱根学園がみごとなワンツースリーフィニッシュ。王者のかんろくを見せつけて、表彰台をどくせんしました！」
アナウンサーがさけんだ。

たった……あの一本のボトルがあれば――……。
待宮はなみだにくれた。

うらみというばく薬(やく)

「そのくやしさをはらすんだったら、一気に二十メートル、はなしましょう。先頭、代わります‼」

東村(ひがしむら)が待宮に言った。ここをチャンスと見たのだ。

広島(ひろしま)の先頭が入れかわろうとするのを、うしろから坂道も荒北(あらきた)も見るよりほかない。

「敵(てき)の残り二人はクライマー。このハイスピードで先頭交代(こうたい)はできない。つまり、状況(じょうきょう)は三対一と言っていい。とどめをさしましょう」

東村がそう言うと、

「よけいなことすんじゃねー‼」と待宮がさけんだ。

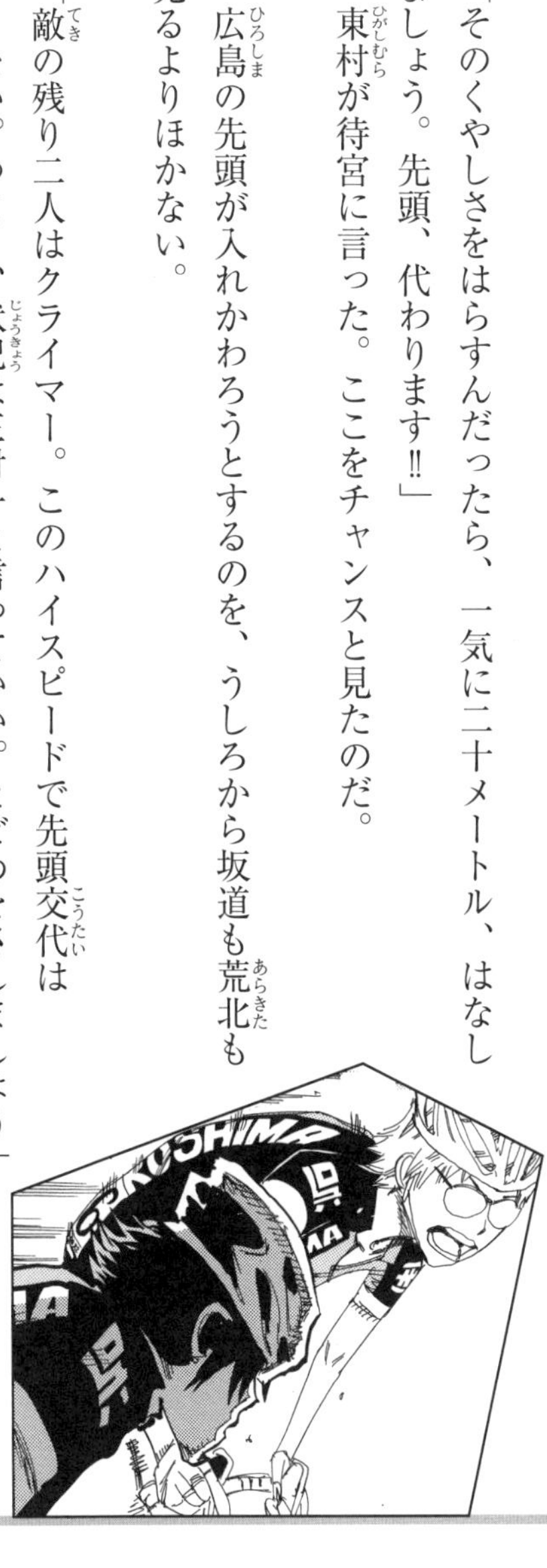

「じゃますんな。ここにいるハコガクはァ、二ひきとも、ワシがキッチリたおすんじゃ!!」
待宮は、闘犬の目であたりちらした。長いしたからはボタァボタァとよだれがたれて落ちた。

「ボケェ!!」
そう言うやいなや、東村に頭突きをした。

!!

同士うち!!?

坂道は息が止まるかと思った。

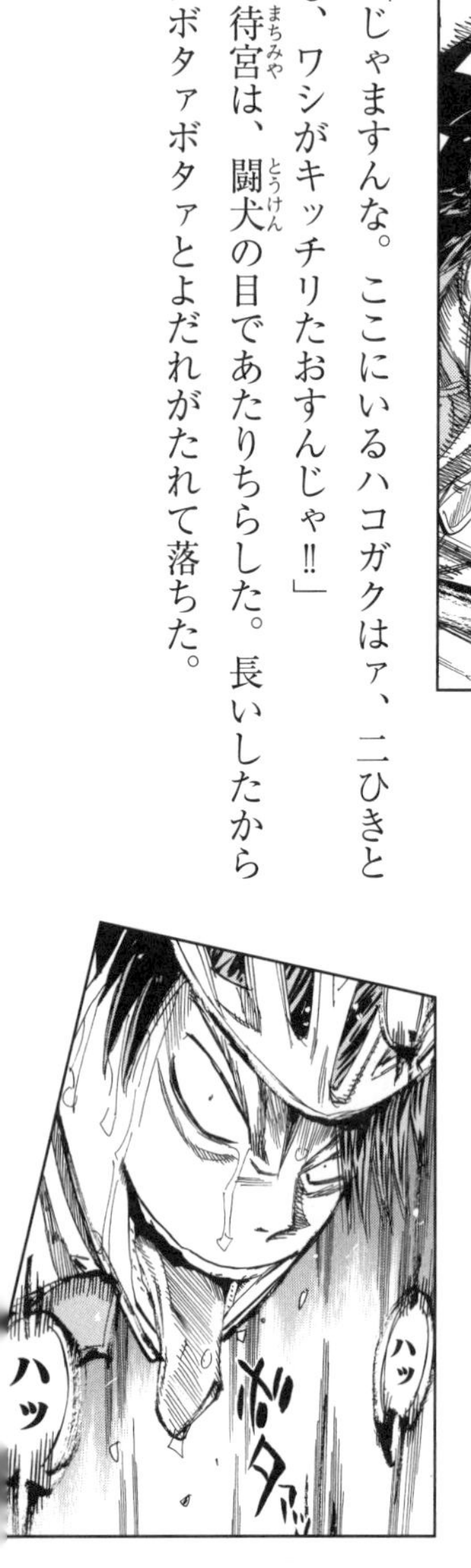

それを見ていた井尾谷が、
「言うたじゃろ、ああなった待宮は、だれも手がつけられん。
これが呉の闘犬、待宮の本当の走りじゃ‼
ワシらはついていくだけでええんじゃ……‼
今のヤツは箱根学園へのうらみだけで走っとる」
と、れいせいにつぶやいた。
「ヤツはA級スプリンターじゃ、ワシらとはひかくにならん。
その男が〝うらみ〟というばく薬をかかえて走っとるんじゃ‼　よう見とけ、東村」
「荒北さぁん‼　はたがもうすぐ二本分です‼」
坂道がひめいをあげた。
「っせ‼　だからわかってるって、つってんだるぁあああああ」
「ハコガク、ハコガク、ドブ王者ハコガク、
これで終わりじゃ‼」

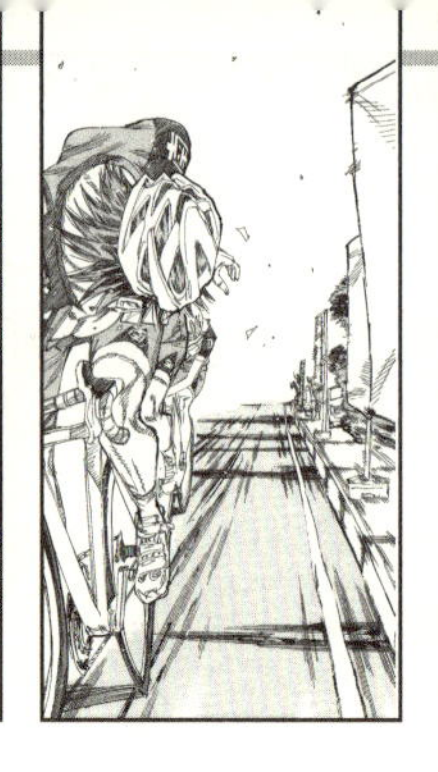

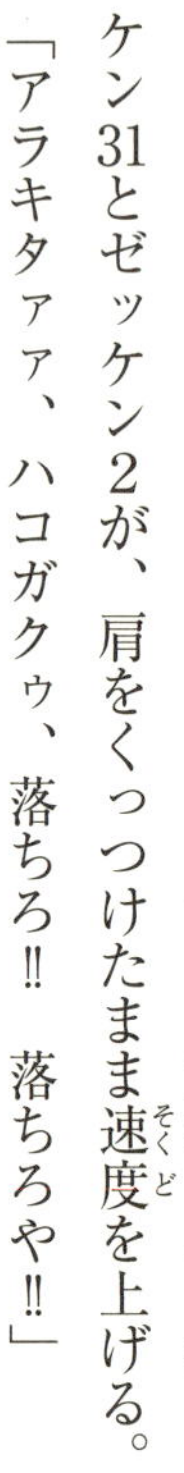

待宮は力をふりしぼった。二本分ちぎったか、と思ったとたん、反対側から荒北の自転車がにゅっと顔を出した。

「そっちか‼」

「あまいんじゃァ‼」

「らあああっ」

「ドラアアアア‼」

二人はゴンと、肩と肩をぶつけあった。高速走行しながら、すもうをやっている。もたれあってたおれない。肩でおしながらペダルをふむ。

待宮は荒北をガードレールにおしこもうとした。しかし、荒北もおし返した。ゼッケン31とゼッケン2が、肩をくっつけたまま速度を上げる。

「アラキタァァ、ハコガクゥ、落ちろ‼　落ちろや‼」

待宮が体重をかたむけて、ぐっぐっぐっとおしていく。

荒北は劣勢(れっせい)だ。そのまま右コーナーへつっこんでいく。

「あの日とれた第二ステージを‼　地元のプライドを‼

ふみにじったんじゃ‼

ハ・コ・ガ・ク・はァ!!!　エエ!!!」

待宮の圧力(あつりょく)で、荒北はガードレールにはさまれた。思わず、坂道がさけんだ。

「荒北さん、ボクにできることがあればなんでも言ってください‼」

無口な真波(まなみ)すらも声を出した。

「荒北さん！」

荒北はさけんだ。

「っせ。だったらだまぁってついてくんのが、てめェらのやることだァ‼」

オレはァ、運べって言われてんだよ、福ちゃんに……‼」

血を流しながら、ペダルをふむ荒北。

「出た、フクチャン‼」

おにの首をとったかのように、待宮がわらった。そして、荒北を指さして言った。

「ペットじゃ、このおおかみ、完全にかわれとる‼　キバはどうした？　つめはもげたか‼　敵じゃないなァ……今年のハコガクはァ」

そう言う待宮はとてもうれしそうだ。そして、ほえた。

「ワシはひっくり返してやるんじゃ……去年の……あの日をォ、第二ステージを、あのいたみを！　今ここで‼」

すると、荒北がニヤッとわらった。

「エ？」

「わかるぜ……その気持ち」
荒北はえがおをうかべてそう言いながら、待宮の肩に手をおいた。

!?


待宮はこんらんした。

「さわるな。わかるかァ!!」

手をはらいのけたが、荒北が今度は話し始めた。

「根性あるじゃねェか……たんなるペテンヤロウじゃねェ。てめェと刺しちがえても目的をはたしてやろうってきがいがある。いいぜ、その目。オレはおめェみたいなタイプ、きらいじゃねェ……」

「なんじゃいワレェ!!　陽動作戦か※」

待宮はおどろいた。

※陽動作戦…敵の目をごまかすために別の行動をとる作戦

「けどそれじゃァ、勝てねーな」

「ハァ？　勝てねェだ!?　テメェはさっきから防戦一方じゃ!!　おまえがおおかみだろうが運び屋だろうが、実力差は歴然じゃ!!」

「いや、勝てねェ」

「なにがわかるんじゃ!!　おまえみたいなハコガクのエリートに!!」

「ソックリなんだよ、昔のオレに」

　そう言うと、荒北はボトルをとって水を一口のんだ。

　ソックリ……って？

　坂道は口を開けたまま、次の言葉を待った。

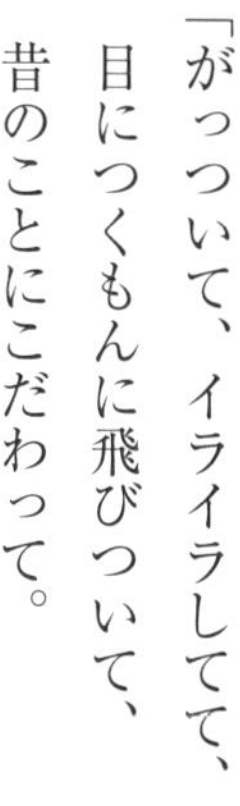

「がっついて、イライラしてて、目につくもんに飛びついて、昔のことにこだわって。終わっちまったもん、引きずり出して、むし返しちゃあ他人にあたんだ。なァ!! ソックリだ」

荒北はふたたび、ニヤッとわらった。

そして、自分が自転車に乗り始める前、荒くれてヤンキーをやっていたときのことを思い出していた――。

ケンカ

「おっせーな……。おっせ。いつまで待たせんだ、あのバァカ」

べべべべべべ、

五十ccバイクのエンジンの音がしている。はらだたしそうに、カラになったペプシのカンでガンガンとバイクのハンドルをたたいたのは、ゆるめたネクタイ、リーゼントの荒北(あらきた)だ。

信じられンのはバイクだけだ。こいつだけはオレをうらぎらない。

くちゃくちゃとガムをかんだ。

荒北は中学時代は野球部だった。そこそこのいいピッチャーで、背番号1をもらっていたが、中二の夏の大事な試合の前に、右ひじをこわした。ひじがいたくて、ボールを投げられなくなったのだ。そこから野球ギライになり、高校は野球部のない箱根学園を選んだのだった。やがて、授業をぬけ出して、バイクに乗るようになった。

もはや授業はまったくおもしろくなかった。

というか、学校生活に完全にきょうみを失っていた。

先生も荒北をはれもののようにあつかっていた。


「……北くん。荒北くん？」

数学の授業中のことだ。

先生が声をかけたのに、荒北は無視。

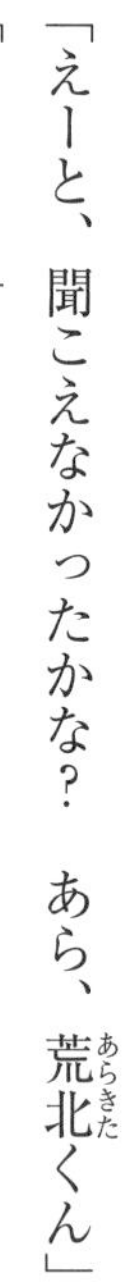

「えーと、聞こえなかったかかな？　あら、荒北くん」

「…………」

「この問題、といてもらえるかな？　前に出て」

先生がおそるおそる言うと、荒北はふてくされた声をあげた。

「あ？」

教室にきんちょうが走る。

ガタッと音を立てて、

立ち上がると、言いはなった。

「めんどくせーからイヤだ」

教室を飛び出すと、先生が追いかけてくるのも無視して、カツカツとろうかをあるいた。

やり場のないいかりをもてあまし、けいじ板をなぐったり、

ゴミばこをけっ飛ばしたりした。

荒北は荒れていた。

「あいつら全員、能なしだ。根性なしだ。
やめるか……。
学校……。
そうだな……これ以上いても、なにもねェ」

外に出ると、のらねこがいた。

「おまえは自由だな……オレも……来いよ」

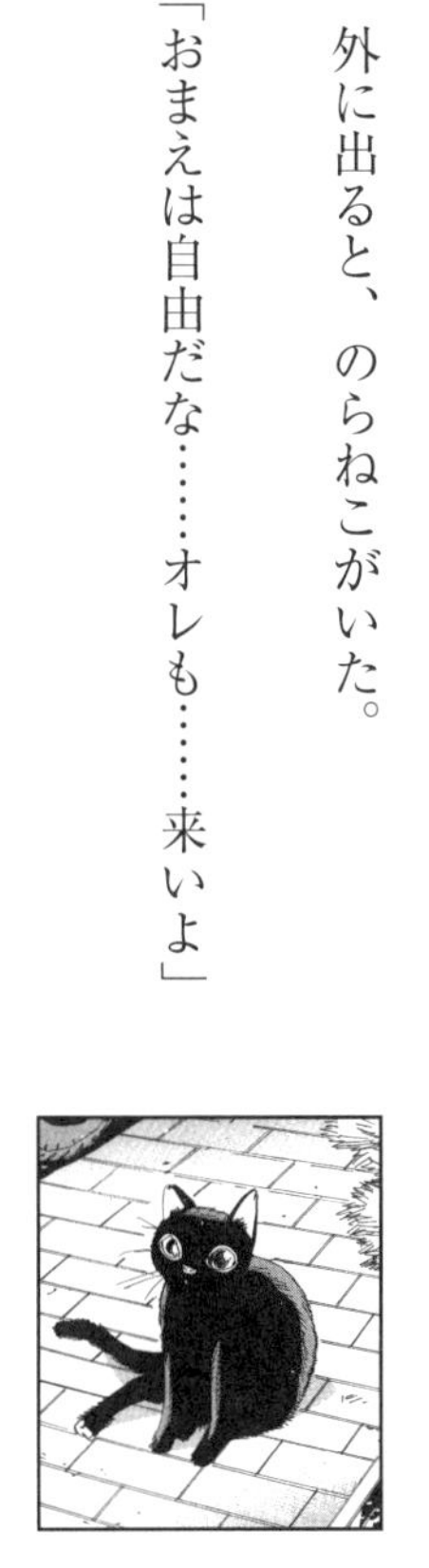

手をさしのべたが、にげていった。

「てめェ！　ねこのくせにイイ‼」

自暴自棄になっていた荒北にはのらねこも近づかなかった。

手下にもあたりちらした。

「バカ、なんだこれ、オレが言ったのとちげーじゃねーか」

「うわ、ごめん」

手下にお使いに行かせたら、ちがう飲み物を買ってきた。

「オレが買ってこいつったのはベプシだよ」

「いや、店になくて」

「っせ。役立たずが。消えろバカ」

そう言うと、手下をおっぱらい、バイクのアクセルをふかした。

エンジンの回転数が自動的に上がり、後輪がギュンと回ってバイクが走り出した。

ちっ、だれもオレのまわりにゃ残らなかった。こいつだけだ。
こいつだけは、手首をひねればどこにだってつれてってくれる。

べべべべべべ、

とエンジン音をひびかせながら

「思いのまま!!
うるああああああ」

荒北はさらにアクセルをひねりあげ、スピードを上げた。気合一番、体をかたむけると、右コーナーにつっこんでいった。

ガアアアアアアアアアーーー‼

太いタイヤがななめになりながら地面をつかまえる。外にすっ飛びそうになるところを、さらに体を内側にたおしてたえる。荒北は、きれいに、上手にコーナーをぬけていく。

「意のままだ！
行け。行け。運んでくれ、オレを
もっと先へ。だれもいない、いやなことのない世界へ」

ビィィイイイイイイ――――!!!

もっとでかい音が出ればいいのに。
くそ。

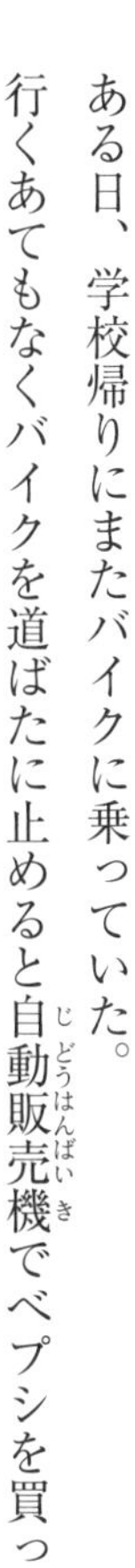

ある日、学校帰りにまたバイクに乗っていた。

行くあてもなくバイクを道ばたに止めると自動販売機でペプシを買って、こしを下ろした。

ついつい野球のことが頭をよぎった。丸坊主時代の荒北。

ほけつになってからは、だれかれなしにケンカを売ってあたりちらしていたあの日のこと。

ああ、一人でいると、やなことを思い出しちまう。

荒北は石をひろって、なにげなく投げた。

そのとき、目の前の道を、自転車の集団が通った。

「すみません。オレ、ボトル休けい、入ります」

そう言いながら、その中の一台が止まり、乗っていた男が自動販売機で飲み物を買っていた。

「おい、てめェ」

荒北が声をかけた。

短い髪をしたまゆ毛のこい長身の男が、ごくごくとスポーツ飲料を飲んでいた。

「ンだ、そのカッコウ、ダッセーな」

荒北は立ち上がってポケットに手をつっこむと、この男にからんだ。イラだちを発散できれば、それでよかったのだ。

長身の彼はだまってこっちを見た。反応がないので、

「ハコネ学園、オレと同じじゃねーか。もう、やめちまうけどな、オレは。ピッチピチだなオイ。ヒャハハハ。ダッセ‼　カッコワリ。高校生で半ズボンか、オイ」

荒北はあきれたように言った。

胸に「箱根学園」と漢字で書いてあるレーシングジャージとレーシングパンツすがたの男は、顔色をかえずに言った。

「これはそういう服だ。空気抵抗をへらして効率をよくしてある」

「かいせつしてんじゃねーーーよ‼」

荒北はおどかすように大声をはりあげた。そのひょうしに長く前にのばしたリーゼントがフサッとゆれた。

「あんなぁ、最近、バイクで走ってっとじゃまなんだよ……。てめェみたいな細っせーチャリに乗ったヤツが、ウロウロウロウロしてよ。チャリは歩道走れよ、歩道、バァカ」

「……ロードバイクは道を走るものだ」

彼は、残りの飲み物をボトルに移しかえると、自転車に取りつけた。

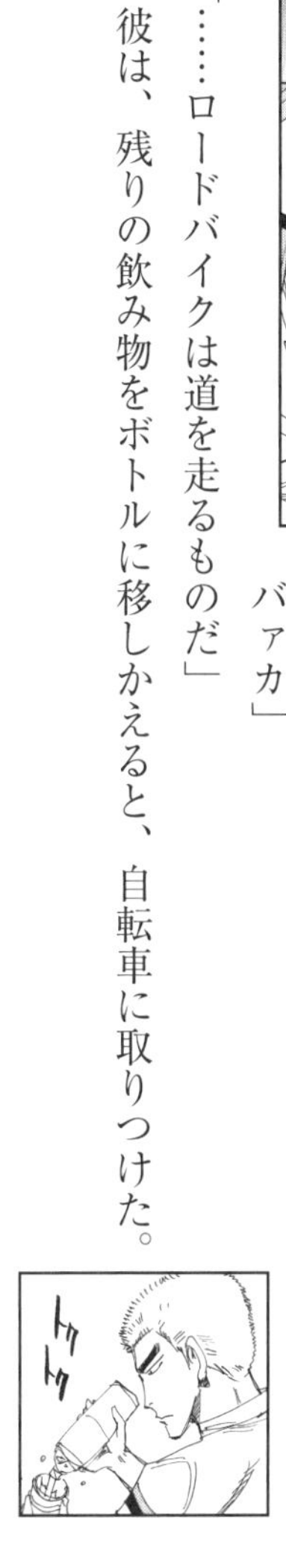

「あ？　てめェ何様（なにさま）のつもりだコラ。さっきから話、聞いてんのか、オイ。〝ロードバイク〟だぁ⁉　ダセェ自転車がバイクをかたってんじゃねーーよゴラァッ」

ガッシャァン

荒北（あらきた）は、サドルをつかんで、その男の自転車をとつぜん、ぶったおした。
彼（かれ）は大きく目をむいた。
地面にはげしくぶつかったときにボトルが自転車からはずれて、トクトクと中身が流れ出し、地面にしみこんでいった。

「おらよ、あせだくになって乗るんだろ？　ダセェ‼　それがなに、生むってんだよ。おっせ、ダッセぇ、チャリ乗って、なにになるっつんだよ、ああ？」

荒北は一方的にどなりまくった。
男は静かに、たおれた自転車を起こすと「進む……前に。確実に」と荒北をにらんだ。

「練習はウソをつかない。日々重ねた努力はかならずカタチになる。昨日より今日、今日より明日のオレを。確実に前に進める。そういう乗り物だ、自転車は」
無表情だった顔には、眉間にしわがよせられていた。太い眉尻がビンと上がっていた。

自転車ァ？　なんだそりゃ、はあ？

「オレはオレ自身、前に進みたくて、自転車に乗っている。おそらく、おまえとはちがう」

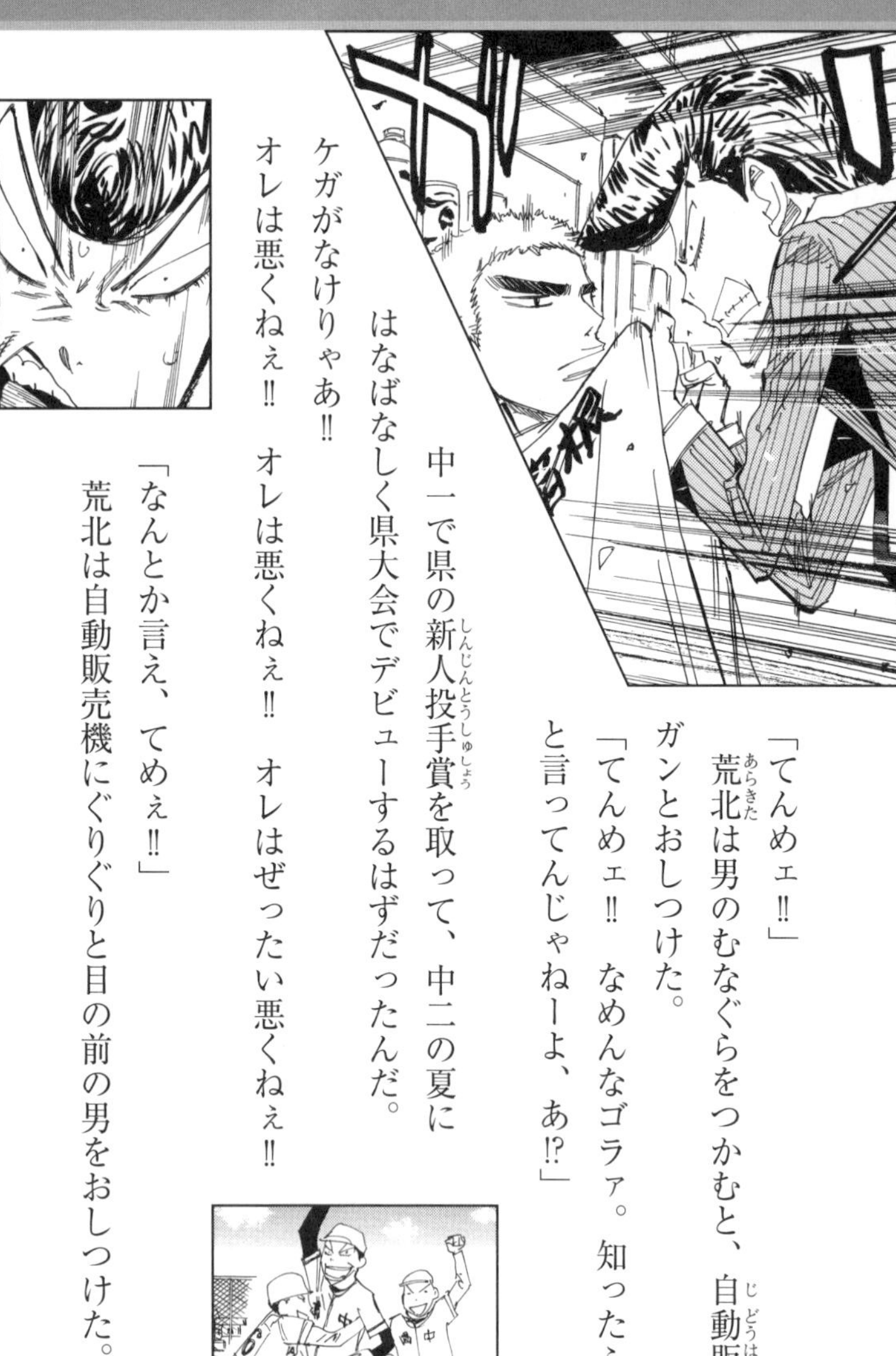

「てんめェ!!」
荒北(あらきた)は男のむなぐらをつかむと、自動販売機(じどうはんばいき)にガンとおしつけた。
「てんめェ!! なめんなゴラァ。知ったふうなこと言ってんじゃねーよ、あ!?」

中一で県の新人投手賞(しんじんとうしゅしょう)を取って、中二の夏にはなばなしく県大会でデビューするはずだったんだ。

ケガがなけりゃあ!!
オレは悪くねぇ!! オレは悪くねぇ!! オレはぜったい悪くねぇ!!
「なんとか言え、てめぇ!!」
荒北は自動販売機にぐりぐりと目の前の男をおしつけた。

「げんいんを他者に求めても、前には進まない。おまえはそういう目をしている」

そういう目……だと？

「せええええ！」

荒北はこの男を地面につき飛ばした。

「なんだおめえはわかったようなこと、言ってんじゃねェよ。鉄仮面が!!」

なんだこいつ、ムカつく!!

「だれが強いか教えてやろうか!!」

荒北はなぐろうとして、こぶしをにぎった。

それをさえぎるように彼は「オレは強い!!」と言い返した。

!?

荒北はとまどった。男は、

「そんなに勝負したければやろう。ただし道の上でだ」

「あ!?」

「勝負だ。ここから学校までおおよそ五キロ……そいつを走って正門をくぐるまで。どちらが先にたどりつくか、だ。おまえのバイクと、オレの自転車で」

「は……‼　上等だ、やってやろうじゃねぇか、バァカ‼」

バカだ。バァカだこいつ。
勝負するまでもねェ。オレのバイクとそのハリガネみてーな自転車。
ブッチギッてヤンよ‼
わかりきってる。
ガキでも知ってる。
バイクは自転車より、速ぇ‼

乗らなければわからない

二人のレースはスタートした。
荒北のバイクと福富の自転車の異種格闘技戦だ。

うるあああ

荒北はアクセルをふかせると、すぐの下り右コーナーに、体をあずけてつっこんでいた。重心を前へ、右へ。バイクが右にかたむく。右ひざが地面にすりそうになる。マフラーからはドフォッと排気ガスが出た。アクセルをさらに開ける。遠心力にまけないように、後輪のタイヤでより強く路面をけって、コーナーをぬけていく。

ブィイイイイーーーン!!!

エンジンがふけあがるいい音がして、きれいにコーナーを立ち上がろうとした。

「どうだ、これが現実だーー」
荒北はさけんだ。
福富はおくれてコーナーに入ると、ハンドルを
サッと下ハンドルに持ちかえた。
荒北は、心の中で思った。
くだらねェ遊びだぜ。

めんどくせぇ……、もう勝負はついた。
次のカーブでふり返れば、もうヤツは消えてる……。
ピッチピチのチャリヤロウ、
てめェに会うことは、もうねェだろうよ‼
この〝現実〟ってのは、いつだって、くつがえらねェんだよ‼

教室のヤツらが根性（こんじょう）なしなのも、
あの日、オレがひじをケガしたのも、
なにも、変わらねェんだ。

なにも‼

そのしゅんかんだった。

そこから、福富(ふくとみ)は自転車をバイクの外がわにかぶせてきた。福富はうしろではない、真横にいた。

ゴアアアアアアア

荒北(あらきた)は風がふきぬけるのを感じた。

「うぇえあッ!?」

声にならない声が出た。

福富は荒北の横を追いぬいていった。

「ちょ、待て。てめェなんだ。あ!?　自転車だろ」
福富はうしろをふり返ると「知らないのか」と言った。つめたい、力強い目だった。

「自転車競技の下り勝負では、時速七十キロや八十キロはあたり前だ」
「人力で、八十キロだと!!」
荒北はふとバイクのスピードメーターを見た。
六十までしか数字がきざまれていなかった。

「くそおおおおおお」

「なんだ、ありゃ、
なんだありゃ!!
なんだ、あのヤロウ。
くそっ。
進めエンジン!!
進めボケェ!!　くそおお」

右手のアクセルは全開まで開けた。でも、はなされていく。

なんだよ
なんで追いつかねぇ
なんで‼
てめェはオレにまけるんだ。
変わらねえんだ、なんにも‼
オレは
おまえになんか、まけねェんだ‼

鉄仮面‼

目の前で、右手を上げて、正門に入っていく福富のうしろすがたが見えた。

荒北(あらきた)はバイクを止めるとヘルメットを投げすてた。

「ゴルァてめェ、なんだよ、なんで勝ってんだよてめェが」

ものすごいいきおいで福富(ふくとみ)のジャージをつかむと、かべにドンとおしつけた。福富は顔色一つかえなかった。荒北の目を見ていた。

「下りで差(さ)をつけた。上りで追いつかれないように目いっぱい、ふんだ。それだけだ」

「せつめいになってねーんだよ!!　てめ!!」

フ――――ッ
フ――――ッ
荒北のはな息(いき)だけがこだました。

二人はにらみあっていたが、やがて福富が口を開いた。

「オレはおまえがバカにした自転車の力を見せることができて満足してる。これ以上、語ることはない。あえて言うなら」

「あ!?」

「ここから先は乗らなければわからない」

前を向いていないからだ

数日後の箱根学園自転車競技部部室。

福富がベンチプレスをやっていると、なかまが知らせてくれた。

「おい福富。今、ヤンキーがおまえのビアンキ、勝手に乗っていったぞ」

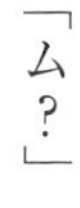

「ム？」

たしかに、部室の外に立てかけていた福富の自転車がない。

ぬすんだのは荒北だった。

「あんじゃこりゃ。首いてぇ、ケツいってぇ。前につんのめりそうだ。くそっ、ギアはどこで変えんだよ。うぉっ」

ぶつぶつ言いながら、チェレステ色の自転車に勝手にまたがって乗り出していた。

ガシャ

いきなり真横にこけた。

そんなことあるのか？　自転車、いきなりこけるって。

オレ、高校生だぞ！　それも五回目！　クッソいてぇ。

おしりをさすっていると、
「見て、あははは」
「自転車の練習してる。ヤンキーが?」
女子生徒の声が聞こえた。

どうでもいい。
わらわれるのなんかどうでもいい。
今はこのクソみてえな乗りもん、乗んなきゃ気がすまねぇんだ。

なぜだかれいせいに無視(むし)できた。そんなことよりも、今は
この自転車に乗りたい。あやつりたい。

くそっ、あいつ、なんつってた。

荒北(あらきた)は思い出そうとした。

「前に進む」「確実(かくじつ)に」「練習はウソをつかない」

福富(ふくとみ)の顔を思い出した。

あ。練習……!!

なんてやってられるか、うるあ!

自転車をしばふに投げつけた。

それで、その日は終わった。

しかし、夜、ベッドでねていたが、ガバッと起き出した。

くそーーーー、やっぱムカつく。


バイクのかぎをつかんで家のげんかんを飛び出すと、学校まで夜道を飛ばした。

真夜中の自転車競技部の部室の前に行くと、荒北が昼間にしばふにほうり出した自転車をだれかがもどしたのだろう、チェレステ色の自転車がおいてあった。

荒北はまたがった。ペダルに足をおく。こごうとすると、フラッフラッと前輪がはげしく左右にゆれた。

ススメ、ススメ、進め――――!!
たかがチャリじゃねーか。
すぐにあせがしたたり落ちてきて、ハンドルをにぎる手の上にポタポタとたれた。
「なんでフラつく……、あいつは八十キロ出してた。同じ高校一年だ。

なんでオレに乗れない。進まねェ！　くそ。なんでだよ‼」

「前を向いていないからだ」

は？　鉄仮面（てっかめん）

「自転車は下を向いていたら進まない」

「て、てめぇ、見てやがったのかよ」

暗がりに福富（ふくとみ）がいた。うでを組んでかべにもたれている。

「オレの自転車だからな」

「な……借りてるだけだ、バァカ」

「前を見ろ。遠くを」

「あ⁉」

ドクン

荒北の心臓がなった。前を見ると、夜があった。

さっきまでは、ハンドルや前輪ばかり見ていた荒北は、前に道が広がっていることに気がついた。

福富が言った。

「すべてをわすれろ。過去もしがらみも」

ドクン

荒北の心臓がまた大きくなった。

「自転車にはエンジンはついていない。進むも止まるもおまえしだいだ。進まないのはおまえが進もうとしてないからだ」

オレ……が⁉

「前だけを見ろ。
すべてを使って進もうとしなければ、自転車は速くはならない」

あの夜が始まりだ。
そこから、荒北はリーゼントを切り落とし、自転車競技部へ入ったのだった。もともと野球のエースをやるほどの体力がある。みるみる上達した。自転車競技部にとつぜん現れた新星として、荒北靖友は復活をとげたのだ。

あの真夜中、自転車を乗りに行ったから。そこに、福富がいたから――。

闘犬対おおかみ

「マチミヤァ‼」

荒北はさけんだ。

「オレァ、全部の力を使って前に進んでるんだ。おめぇが前、見て、全力で走ってりゃあ、今ごろ、箱根学園をおびやかすくれぇのそんざいになってたかもな‼」

待宮は荒北にぶちぬかれながら、口を大きく開けた。もう声が出なかった。荒北は待宮を引きはなしながら、わかれのエールを心でおくっていた。

「あんとき、こうしてりゃあ」って呪文はさ、

ときどき出てきちゃ、心をからめとって、動けなくするんだ。
重てぇ荷物を引っぱり出して、想いをにごらせちまうんだ。
こっから先はにごってちゃあ行けないりょういき――。

〝速くなりたい〟
〝あいつに勝ちたい〟
〝おもしれぇ〟
〝前に進みたい〟
そういう、じゅんすいな気持ちだけになんねーと
行けないりょういきなんだよ　マチミヤァ!!
広島県南の東村がさけんだ。
「ハコガクがみるみる加速します。信じられん、
なんて加速じゃ!!」

それを聞いて、「させるかい‼」と待宮(まちみや)はわれに返った。

見とれた？　一瞬(いっしゅん)？　ワシが？

あいつに――⁉

あいつの走りに⁉

ワシとはちがう、あいつの――

待宮は顔をブルルと左右にふった。犬がよくそうするように。目をさますように。

「んなわけないじゃろワシは

一度、かみついたらはなさない、呉(くれ)の闘犬(とうけん)じゃけ。

オオオオオオーーーー‼」

ふたたびペダルに力をこめた。

ワシが勝つんじゃ
ワシがハコガクに……。
エエエエエエエ!!
ワシがぁァァ!!
ワシが。

去年、ひっしになってやっととったチーム三位。
今年は一日目、落車のあとにはげましあいながら、
やっと六人でたどりついたこの三日目――。
それをムダにするわけには――。
井尾谷が待宮に言った。
「クソアラキタがふり向いて、なんか言ったぞ。
聞こえんくそ!!」

待宮にははっきりとわかった。

「レース終わったら、いっしょにのもうぜ。

ペプシおごってやるよ、オレが。

強え(つえ)よ!! おまえ」

荒北(あらきた)の口がそう動いたのがはっきりとわかった。

東村がつげた。
「栄吉さん、はた二本分です‼　いえ……三本分です」
ハッ　ハッ　ハッ　ハッ　ハッ　ハッ
広島県南の選手はぼうぜんとなった。急に自分たちのはく息の音ばかりがでかく聞こえた。荒北のすがたは小さくなり、やがて消えた。

井尾谷(いびたに)が食(く)いさがった。

「くそ!! 追いかけよう待宮(ミヤ)、ルールなんてもうどうでもええんじゃ。ワシらの目標(もくひょう)は表彰台(ひょうしょうだい)じゃ!! あいつを追いかけて先頭まで行けば」

「やめろ、井尾谷!」

待宮(まちみや)はパチンとヘルメットのアゴひもをはずした。そして、心から敬意(けいい)を表すようにヘルメットをとると、やけにすっきりとした顔でこう言った。

「ワシらはここでふるい落とされた。これ以上(いじょう)はついていっても、この先のりょういきでは闘(たたか)えんということじゃ。知力、体力、闘争心(とうそうしん)、今持ってる力を全部出して——まけたんじゃよ、ワシらは」

待宮はもうペダルをふんではなかった。自転車はだせいで前に進んでいた。

「闘争心をうらでささえるもの……そういうものの差じゃ」

待宮がぽつりとつぶやいた。ほおには二すじのあついなみだが流れていた。

アラキタァ……、
悪いのう、
オゴってくれや、ベプシ

荒北の意地

「もうすぐ先頭だ！」

そう言ったとたんに荒北はバランスをくずした。

力、使いすぎた。

ヤベ、地面。

落車するかと思ったとき、二人の手が荒北の体をささえた。

「だいじょうぶですか」

「せ!!　ささえんな!!」

「いやーーーもォ、すごかったから荒北さん」と真波（まなみ）がわらっていた。

「あ、あの、あの、すごかったです」

と坂道が目をキラキラさせていた。

「いっしょじゃねーか、てめェらも。よくついてきた」

荒北が言った。

「つーか、とちゅうで何回か、うしろにおまえらがいることわすれてたからな、ハ!!

真波、小野田チャン」

そう言うと荒北(あらきた)はふり返って二人の一年生の顔を見た。
「いや、なんでもねえ。
さ‼　ついてこい。先頭まで運んでヤンよ‼　もうすぐだ‼」

こいつら――、ついてきやがった、オレに……。
すっとんきょうな顔してな……
二人ともフシギちゃんだな。
福(ふく)ちゃん、ひょっとしてオレはとんでもねーもん運んできたんじゃねーのか。

「なァ福ちゃん」

荒北がそう言った目の先には、道の先には、先頭を行く
福富(ふくとみ)と金城(きんじょう)らのすがたがおぼろげに見えた。

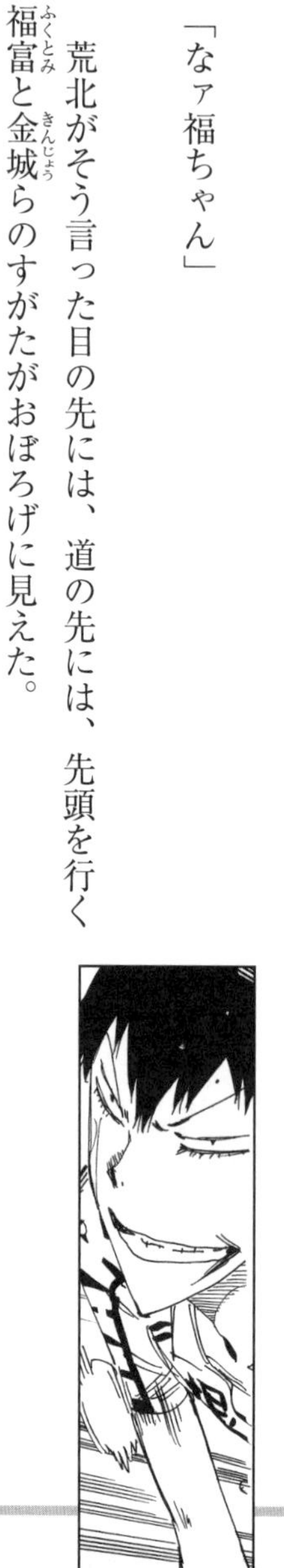

「見えました、先頭です!!」
坂道がよろこびの声をあげた。
どんどん近づいていく。
荒北がさけんだ。

「ちぃとおそくなったが、フシギちゃん二人、キッチリ運んだぜ」
その声に福富と新開がこちらをふり返った。
それに気づいて、金城と今泉もふり返った。京都伏見の石垣と
御堂筋がいた。

荒北、真波、坂道の三人が、ついに先頭に
合流した。
レースはここから最終日、後半をむかえる、
のだが――。

（続く）

COLUMN

これでキミも自転車通(つう)！

011

自転車のハンドルにぐるぐるまいてある「バーテープ」。体にふれる部品だからだいじだよ！

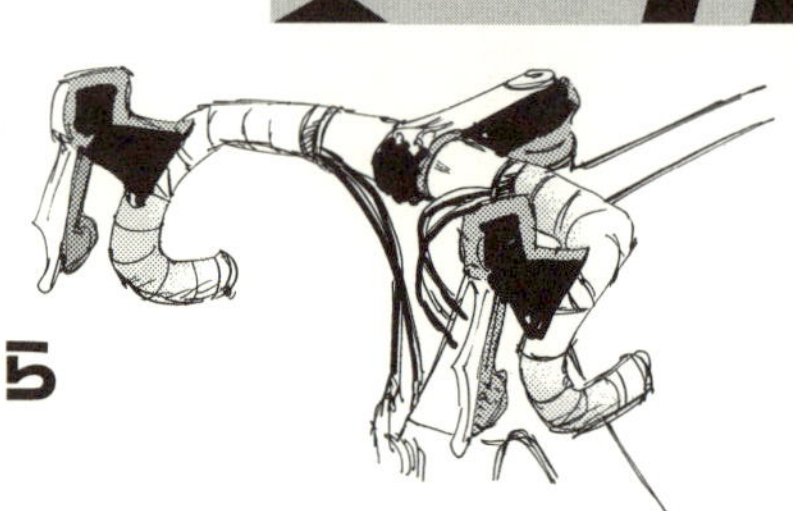

自転車のハンドルにまく「バーテープ」。ハンドルをにぎりやすくしたり、あせや雨ですべるのをふせいだり、手に感じる自転車のゆれをすくなくするなどの役割があるよ。よごれてもテープなら、すぐこうかんできるからべんりだ。どんなしゅるいがあって、どんなふうにまくのか知っておこう！

バーテープのえらび方

素材はいろいろ

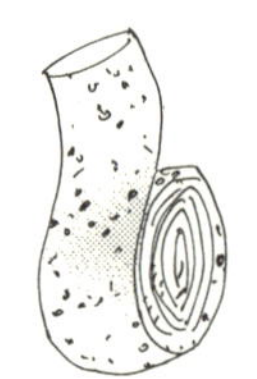

コルク素材のフカフカのもの

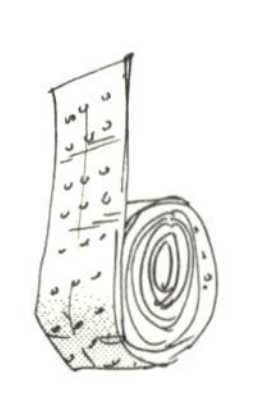

うすくてすべりにくいもの

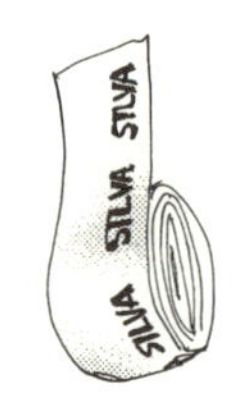

ロゴのついてるものやカラフルなもの

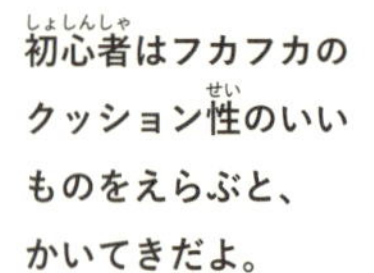

初心者(しょしんしゃ)はフカフカのクッション性(せい)のいいものをえらぶと、かいてきだよ。

デザインもいろいろ

いろいろな色やがらがあるので、
着ているジャージや自転車の色などに
あわせてえらぶとたのしいよ。
チャレンジしてみよう！

Attention

落車のときなど、バーテープはやぶれてしまうから、こまめにこうかんしよう。

こうかんの方法

なれれば自分でこうかんすることができるよ。

① テープを
ななめに切る。

② ななめに
まき始める。

③ しっかりまけているか、
かくにんしながらまいていこう。

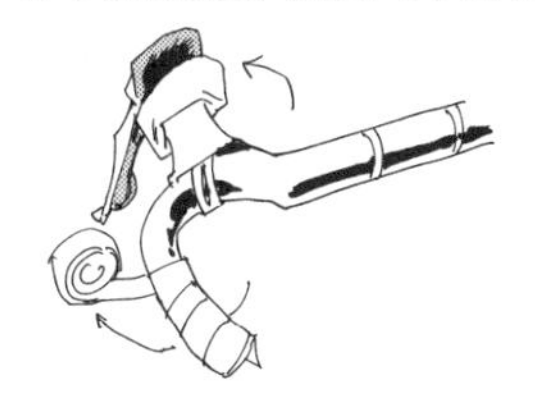

④ ブラケット（ブレーキレバー）の
あたりはちょっとむずかしい。

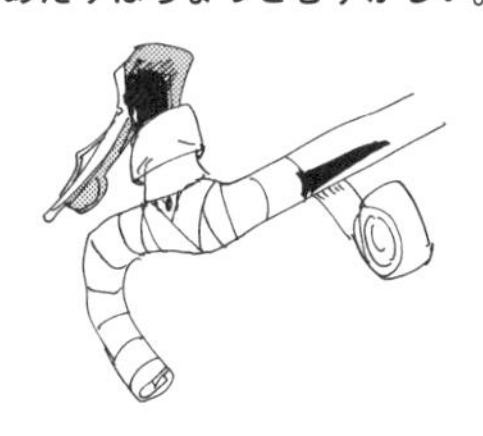

⑤ 最後（さいご）はべつのテープでとめて、
さらにグリップエンドでとめる。

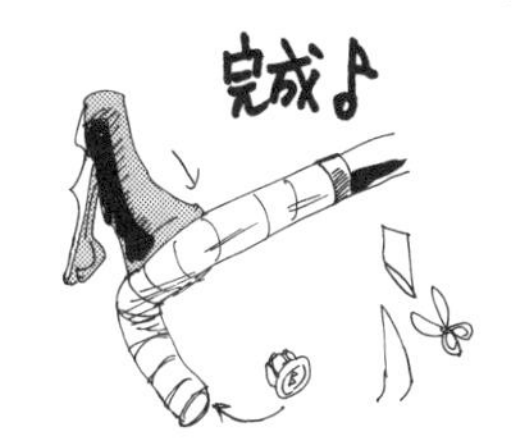

＊くわしくはお店の人にきいてみよう！

[原作者]

渡辺 航（わたなべ　わたる）

漫画家。長崎県出身。MTBやロードバイクなど自転車をこよなく愛し、『弱虫ペダル』の連載を続けながら、多くのアマチュア自転車レースに参戦している。

[ノベライズ]

輔老 心（すけたけ　しん）

ライター。兵庫県出身。『スーパーパティシエ物語』『いやし犬まるこ』（いずれも岩崎書店）など著書多数。

AD　山田 武　　協力　渡邊まゆみ
編集協力　秋田書店

フォア文庫

小説 弱虫ペダル 11

2023年2月28日　第1刷発行

原作者　渡辺 航
ノベライズ　輔老 心
発行者　小松崎敬子
発行所　株式会社 岩崎書店
〒112-0005 東京都文京区水道1-9-2
電話　03-3812-9131（営業）　03-3813-5526（編集）
00170-5-96822（振替）
印刷・製本所　三美印刷株式会社

ISBN978-4-265-06581-3　NDC913　173×113

Published by IWASAKI Publishing Co.,Ltd.
Printed in Japan

岩崎書店ホームページ　https://www.iwasakishoten.co.jp
ご意見をお寄せください　info@iwasakishoten.co.jp
乱丁本・落丁本はお取り替えします。